Série

BILLIE DOUGLASS

La symphonie du désir

Les livres que votre cœur attend

Titre original : *Variation On A Theme* (80)

Originally published by SILHOUETTE BOOKS,
division of Harlequin Enterprises Ltd.
Toronto, Canada

Traduction française de : Isabelle Stoïanov

27, rue Cassette, 75006 Paris

Chapitre 1

Son sac de voyage glissa de son épaule pour venir lui battre les jambes tandis qu'il escaladait deux à deux les marches de pierre. Il avait espéré arriver à temps pour le début du concert, mais l'avion avait pris du retard au décollage de Raleigh et n'avait pu le rattraper avant l'arrivée à Chicago. Encore s'estimait-il heureux d'avoir trouvé une place à la dernière minute sur ce vol.

Les portes du théâtre restaient ouvertes à la brise tiède de mai. Il traversa le hall d'entrée à grandes enjambées, avec autant d'assurance que s'il avait eu une invitation en poche, et se dirigea vers la salle, guidé par les rumeurs d'applaudissements. Il ne repéra pas la moindre place libre. Comme il se tenait dans le passage, une ouvreuse se planta devant lui :

— Votre billet ?

Il ignora la question.

— Ai-je manqué une grande partie du spectacle ?

Il chercha du regard la seule instrumentiste féminine de l'ensemble Montague. Même parmi d'autres femmes et sans avoir vu sa photo, il l'aurait reconnue. Elle était éblouissante. Comme sur le portrait qui ornait le bureau de Tom Busek.

— Nous en sommes à la moitié de la seconde partie. Avez-vous votre billet ?

Sans plus poser les yeux sur l'ouvreuse, il entreprit une manœuvre de diversion. C'était sa spécialité.

— Bon sang ! J'aurais voulu en voir plus !

Il la gratifia d'un sourire qui se voulait éclatant de fierté et, indiquant la scène du menton :

— C'est ma fiancée. Rachel Busek.

De fait, il était presque aussi fasciné qu'il voulait le paraître.

— J'arrive tout droit de Caroline du Nord. Elle ne sait pas que je me trouve ici !

Le sourire persistait, obliquant sur une pointe de malice.

L'ouvreuse parut réfléchir un instant. Il était sans doute plus âgé que la plupart des étudiants qui composaient le public, trente-cinq, quarante ans peut-être, propre, sympathique. Il parlait d'une voix légèrement nasillarde, sans doute l'accent du Sud. Et comment ne pas le croire, puisqu'il portait encore un sac de voyage sur l'épaule ?

— Ecoutez, finit-elle par dire, je ne peux plus vous placer à cette heure. Vous devrez rester là.

— C'est parfait, merci !

Un frisson de plaisir parcourut la foule quand le piano entama une série d'accords qu'elle connaissait bien, suivi des violons, du violoncelle et de la guitare ; alors Rachel Busek porta la flûte à ses lèvres.

James Guthrie n'avait jamais été amateur de

concerts et la musique n'avait guère de place dans sa vie. Pourtant il retint sa respiration, attentif aux notes légères qui s'échappaient de l'instrument. Jamais il n'avait entendu *Greensleeves* joué de façon aussi délicate, aussi poignante. Le timbre cristallin de la flûte d'argent le captivait autant que la femme dont le souffle, la bouche et les doigts produisaient ce miracle.

Elle était vêtue de blanc et de légers volants accompagnaient les gestes de ses poignets et de son cou. Ses longs cheveux blonds encadraient délicatement son visage et ses épaules. Le teint clair, les mains fines, elle se détachait du groupe des sept musiciens, comme une virtuose jouant en solo.

Il acclama les artistes avec la même ferveur que le reste de l'assistance lorsque le morceau fut achevé. Elle sourit et il sentit alors son cœur battre plus vite, ne songeant même plus à applaudir avec la salle. De sa vie il n'avait été à ce point touché par le sourire d'une femme, tout de simplicité, de chaleur et d'un soupçon de timidité, surprenante chez une artiste chevronnée comme elle. Lorsque, les joues roses, elle se tourna vers ses compagnons, Jim Guthrie se prit à les envier.

Accoudé à la balustrade du balcon, il demeura immobile à écouter plusieurs morceaux classiques. Cette musique, à laquelle il était si peu sensible habituellement, ce soir, elle l'enchantait grâce à l'exquise sonorité de la scintillante flûte. Quand, après un tonnerre d'applaudissements, les étudiants obtinrent un bis, il eut le plaisir de reconnaître *Duelin' Banjos*. Il aimait bien cet air, mais que valait-il après Mozart, Bach ou tous ceux qu'elle avait joués auparavant ?

Pourtant les musiciens s'en sortaient à merveille, chacun s'en donnant à cœur joie, de plus en plus rapides. Jim ne quittait pas des yeux la silhouette blanche sur son tabouret, dont le pied battait joyeusement la mesure, et il surprit une flamme inattendue dans ce regard qui reflétait plutôt l'innocence et la pureté. Il se demanda un instant ce qu'il ressentirait à tenir une telle femme dans ses bras et se dit qu'il était tout prêt à essayer... Mais la musique et l'enthousiasme de la salle le ramenèrent à la réalité. La flûte et la guitare rivalisaient de dextérité, bientôt rejointes par tout l'ensemble, puis par la salle qui criait, tapait des mains et explosa d'enthousiasme quand ils eurent fini.

Ils saluèrent plusieurs fois mais ne rejouèrent plus, malgré les « encore ! » ; le rideau tomba définitivement et les lumières se rallumèrent.

Jim Guthrie était plutôt un homme d'action, enragé de hockey, inconditionnel de bière brune et de tabac fort ; aussi n'eut-il pas de peine à se frayer un passage dans cette foule bruyante. Il avait hâte de rencontrer enfin la fille de Tom Busek.

Il n'était apparemment pas le seul à vouloir pénétrer dans les coulisses mais, plus grand et plus fort que les autres, il parvint le premier derrière la scène où il fut arrêté par un jeune homme chétif, portant blazer d'étudiant et lunettes cerclées d'écaille.

— Excusez-moi, avez-vous une autorisation ?

Jim fouilla dans sa poche intérieure et en sortit un calepin et un stylo. Il se redressa de toute sa taille et toisa le malheureux.

— Je suis journaliste. Je viens interviewer Mlle Busek.

— La réception est strictement réservée aux personnes munies d'une invitation.

Le jeune homme se reprit soudain :

— Quel journal ?

Il avait beau fournir des efforts désespérés, il ne put s'empêcher de rougir.

Jim n'avait pas de temps à perdre. Il répondit le *Times*. Inutile de donner plus de précisions : ce titre marchait toujours. Tout l'art de la persuasion résidait dans l'intonation.

Les yeux du jeune homme s'écarquillèrent.

— Le *Times* ?

— Parfaitement. Vous permettez ?

Jim se dirigea vers la porte.

— Je suis pressé. Il faut que je joigne Mlle Busek aussi vite que possible.

Le jeune homme contempla à la dérobée son sac et Jim s'étonna que personne ne paraisse s'inquiéter de son contenu. Un tel excès de prudence tenait sans doute chez lui de la déformation professionnelle : il avait fouillé trop de gredins armés jusqu'aux dents, passé trop de nuits de guet avec son Remington pour toute compagnie.

Ici, tout était différent : l'atmosphère, ce concert, Rachel Busek... La naïveté même de l'infortuné étudiant avait quelque chose de rafraîchissant, et ne faisait que simplifier sa mission.

— Entrez.

La porte s'ouvrit juste assez pour le laisser passer et le jeune homme reprit son poste, bien décidé, cette fois, à ne céder à personne.

Dans l'obscur corridor où il pénétra, Jim commença par ranger son bloc-notes et son stylo, puis se dirigea vers le rai de lumière qui filtrait sous la porte du fond. Des voix se firent bientôt entendre. Son espoir de trouver Rachel seule dans sa loge était donc déçu. Il lui faudrait attendre une autre occasion.

Il poussa doucement le battant pour se mêler aussitôt à une foule d'admirateurs qui entouraient la blonde et jolie flûtiste. Il put enfin voir son visage de près, un petit visage ovale aux traits aussi délicats que les notes qu'elle savait tirer de son instrument. De nouveau, il fut troublé par sa douceur et franchement ému par la façon dont elle soutenait son regard. Il ne put refouler l'élan de désir qui s'empara subitement de lui. Cela doit être le cas pour la moitié de son public, pensa-t-il ; mais elle continuait à le regarder, lui et lui seul, droit dans les yeux ; cette fois, son imagination n'y était pour rien.

Quelqu'un lui parla à l'oreille et elle fit volte-face. Jim prit un verre de vin sur un plateau présenté par un serveur. Elle souriait maintenant et répondait doucement à ceux qui s'adressaient à elle. Il perçut cette même timidité qu'il avait déjà décelée sur la scène et en demeura étonné.

De nouveaux venus se joignaient sans cesse à leur groupe, remplaçant ceux qui partaient. Le vin coulait à flots. Rachel tenait son verre entre les deux mains, comme pour se donner contenance. Il s'apprêtait à boire au moment où elle porta le sien à sa bouche et leurs regards se croisèrent à nouveau et se fixaient avec une intensité fugitive lorsque intervint un nouvel interlocuteur.

Il poussa un soupir, avala une longue gorgée de vin. Il jouait avec le feu. Il le savait depuis qu'il avait décidé d'aller à la rencontre de Rachel. Bien sûr, il avait été en partie guidé par le généreux désir de l'alerter sur la situation de Tom Busek. Pourtant, en ce moment, il répondait plutôt à d'autres motivations.

Il avait été fasciné par son portrait, par la tendresse avec laquelle son père parlait d'elle. Père et fille, pensa-t-il, et pourtant si différents ! L'une était blonde, petite, délicate ; l'autre, brun, grand et rude. Ressemblait-elle à sa mère ? Tom Busek ne parlait jamais de sa femme et Jim supposait qu'elle était morte peu de temps après la naissance de Rachel. Il supposait également que Tom l'avait beaucoup aimée : n'était-il pas d'une nature passionnée ? C'était un brillant savant, sa fille une brillante musicienne. Tous deux brillaient à leur façon ; en cela, au moins, ils se ressemblaient.

Et Jim Guthrie ? Pour sa part, il ne s'attribuait aucun brio, mais il se savait capable de surmonter les coups durs et consciencieux dans son travail ; doué d'un indiscutable instinct à résoudre les mystères, réputé pour y parvenir. Mais saurait-il éclaircir cette affaire ?

Les conversations n'en finissaient pas autour de Rachel qui buvait son vin à petites gorgées. Elle répondait aux questions aussi poliment que possible mais préférait rire et écouter. Pour elle, aucune joie n'égalait celle de jouer de la flûte. Les réceptions... ah ! les réceptions étaient une autre histoire : un mal nécessaire, dans le monde où elle évoluait.

Elle se sentait fatiguée. Voilà huit mois qu'elle parcourait le pays en tournée. Son père lui manquait, ainsi que la belle maison ancienne qu'il avait achetée quinze années plus tôt ; il l'avait simplement baptisée Les Pins à cause des hauts rideaux que formaient ces arbres de chaque côté de la route d'accès. Rachel, pour sa part, tenait plus encore au chêne centenaire de la grande pelouse, au champ de pêchers qui devaient être en fleur à cette saison. Elle avait envie de retrouver la terrasse du dernier étage où elle passait son temps à jouer de la flûte sans autres auditeurs que les oiseaux.

Encore trois semaines et elle retrouverait son coin de paradis. Elle attendait avec impatience les vacances qui lui laisseraient le temps de se reposer avant le début de la saison d'automne.

— Votre interprétation de Dvorak était sublime !

Une jeune femme en jupe paysanne venait de la rappeler à la réalité.

— Avez-vous déjà joué avec un orchestre symphonique ?

Rachel sourit.

— Oh non ! Je ne pense pas que j'en serais capable.

Le compagnon de son interlocutrice était un grand garçon roux à la barbe naissante.

— Vous en êtes indubitablement capable, au contraire !

— Je ne sais pas. Je ne crois pas faire preuve d'assez de rigueur et de discipline. Je préfère choisir mes morceaux moi-même ou ne garder, par exemple, que le second mouvement d'un concerto sans me sentir obligée de jouer le reste.

— Mais quels sont vos rêves, vos aspirations ? Où partez-vous maintenant ?

Elle eut un sourire malicieux :

— Demain, Indianapolis, ensuite Saint Louis, Des Moines, Omaha puis Oklahoma City... ensuite chez moi. Nous enregistrons un nouvel album à la fin de l'été et reprenons nos tournées en automne. Mes ambitions se limitent là pour le moment... Et vous ? Est-ce la musique que vous étudiez ici ?

Et la conversation se poursuivait, toujours la même. De nouveau elle souriait, hochait la tête, buvait un peu de son vin, regardait le grand homme brun qui se tenait près de la porte. Elle l'avait remarqué dès l'instant où il était entré, sans vraiment comprendre pourquoi. Il était différent des autres. Plus élancé, plus vigoureux, il devait passer sa vie au grand air et respirait la santé, à l'inverse des intellectuels à grise mine qu'elle rencontrait habituellement... son père mis à part. Oui, il lui rappelait sa maison, son pays. Baissant les yeux sur la fade moquette, elle se dit que tout, ce soir, lui faisait penser au manoir qui lui manquait tant. Résignée, elle se mêla de nouveau à la conversation.

Un quart d'heure plus tard, d'autres admirateurs la pressaient de questions identiques. Pourtant, dans ce va-et-vient permanent, l'homme dont elle avait remarqué la troublante présence aussitôt qu'il était entré dans sa loge restait, immobile, près de la porte, et ne la quittait pas des yeux. Peut-être était-il chargé de sa sécurité et s'ennuyait-il autant qu'elle. Il ne cherchait pas à parler à qui que ce soit, buvait à peine; elle aurait juré qu'il n'avait pas touché au buffet, par ailleurs peu appétissant. Elle se prit à rêver d'un vrai repas...

Vingt minutes plus tard, son sourire se figeait, sa voix s'enrouait :

— Merci. Je suis heureuse que ce concert vous ait plu... Oui, le public était merveilleux... Merci d'être venus...

Le groupe finit par se faire moins insistant et elle jeta un coup d'œil à l'homme devant la porte. Il semblait sourire à demi. Se doutait-il de ce qu'elle pensait ? Elle nota le dessin sensuel de sa bouche. Elle le trouvait séduisant. Très séduisant.

Effarouchée par les idées qui lui traversaient l'esprit malgré elle, elle fit un effort pour parler avec ceux qui l'entouraient, mais se surprit encore, peu après, à observer la minceur des hanches serrées dans le jean, le triangle de peau hâlée révélé par le col ouvert de sa chemise, la largeur des épaules dont l'une soutenait un sac de voyage. Que venait-il faire ici ?

— Rachel ?

Elle tourna la tête pour répondre à l'organisateur de la tournée Montague, Ron Lynch, un homme brun d'une trentaine d'années, qui incarnait aux yeux de Rachel le parfait Américain moyen, par sa taille, sa carrière, son caractère. Mais il connaissait remarquablement son travail.

— Oui, Ron ?

Elle lui sourit.

— Ça va ? demanda-t-il doucement.

Il lui glissa un bras autour des épaules, jeta un regard du côté de la porte.

— Je vous trouve distraite ce soir.

— Je suis un peu fatiguée.

— Nous ne tarderons plus, maintenant.

Il éleva la voix pour s'adresser à la cantonade :

— Si vous le permettez, je vous enlève Rachel cinq minutes.

Il la prit par le bras pour la mener vers une des fenêtres.

— Je voudrais vous présenter au Dr Iber. Il n'y

connaît rien en musique mais il a tout de même apprécié le concert. C'est le doyen de l'université.

Elle savait qu'elle rougissait beaucoup mais avait appris à utiliser ce petit handicap : il lui servait souvent à camoufler son ennui.

Ron faisait volontiers d'elle l'attraction de l'ensemble, et elle se voyait qualifiée de tous les noms, depuis « ma petite dame » jusqu'à « maestro », mais elle se sentait, d'abord et avant tout, musicienne...

Elle écoutait patiemment les théories de l'universitaire sur les sons synthétiques, qui remplaceraient un jour tout un orchestre, désespérant de jamais échapper à ce pensum, quand une haute silhouette se matérialisa à côté d'elle, la prenant par la taille, déposant un rapide baiser sur sa tête.

— Prête, ma chérie ?

Elle ne connaissait pas cette voix traînante mais reconnut immédiatement l'accent de sa région et n'eut pas besoin de lever la tête pour savoir qu'il s'agissait de l'inconnu qui venait de passer toute une heure, immobile devant la porte. Bizarrement, elle n'éprouva pas la moindre frayeur. Elle avait l'impression de retrouver un vieil ami. Et elle fit ce qu'elle n'avait jamais fait de sa vie ; toute prudence oubliée, elle se jeta tête baissée dans le rôle de la femme courtisée :

— Presque, murmura-t-elle.

Elle rougit de timidité autant que d'émotion, promena son regard de Ron au doyen, comme pour s'excuser, puis se tourna vers son sauveur.

De près, il paraissait encore plus attirant...

Elle sentit la main remonter le long de son dos pour se poser sur son épaule, dans un geste possessif auquel elle répondit aussitôt en glissant le bras autour de la taille de ce compagnon inconnu.

Jim eut un sourire impertinent avant de s'adresser à Ron :

— Jim Guthrie. Je ne crois pas que nous nous connaissions.

Ron serra la large paume, tout en jetant un regard interrogateur à Rachel :

— M. Guthrie est de vos amis ?

Elle ne sut que répondre. Elle ne connaissait pas cet homme, n'avait jamais entendu ce nom. Un peu désorientée, elle ne put s'empêcher de le consulter du regard. Il parut comprendre : il serra son épaule et prit la parole sans la quitter des yeux :

— Nous sommes tous deux de Caroline du Nord. Je travaille pour le père de Rachel.

Encouragée par la main qui passait familièrement sur son bras, elle renchérit :

— Je ne savais pas qu'il venait. C'était une surprise.

Puis, se rappelant soudain le prétexte qu'elle avait invoqué :

— Si vous voulez bien nous excuser, Ron... docteur Iber. Comme vous pouvez le constater, Jim débarque à peine.

Elle désigna le sac de voyage qu'il gardait toujours pendu à l'épaule, espérant qu'elle ne se trompait pas.

— Je voudrais bavarder un peu avec lui avant qu'il ne tombe de sommeil.

Le doyen hocha la tête tandis que Jim la prenait par la main pour la guider à travers l'assistance encore nombreuse. Mais Ron ne s'avoua pas vaincu aussi facilement. Il les suivit.

— Vous devriez rester encore un peu, mon petit !

Elle sourit aux personnes dont elle croisait le regard, sans manifester pour autant la moindre envie de s'attarder.

— Je suis épuisée, Ron, et puis vous vous en tirez fort bien sans moi !

Elle lui serra la main.

— Nous nous retrouverons demain matin, d'accord ?

Le manager l'accompagna jusqu'au pas de la porte.

— Pour le petit déjeuner ?

Rachel secoua la tête et lança par-dessus son épaule :

— A l'aéroport. A midi et demi, n'est-ce pas ?

— Oui. Midi et demi.

Il avait répondu d'un ton rogue, à bout d'arguments.

— Rachel !

Une voix venue de la salle la fit se retourner. C'était Peter, le guitariste, un garçon blond, portant moustache, aussi grand que Jim, mais qui paraissait frêle à côté de lui.

— Tu pars déjà ? Tu ne veux pas manger quelque chose avec nous ?

— Merci, mais je n'ai pas le temps.

Le regard interrogateur du guitariste la contraignit à faire les présentations :

— Excuse-moi, voici Jim Guthrie. C'est... un ami. Jim, voici Peter Mahoney.

Les deux hommes se serrèrent la main et Jim sentit la même défiance à son égard que de la part de Ron. Apparemment, Rachel était leur protégée. A moins que l'un de ces messieurs n'ait des relations plus suivies avec elle...

— Je vous ai trouvés magnifiques dans *Duelin' Banjos*, dit-il aimablement.

— Rachel y est pour beaucoup.

— Aussi ai-je bien l'intention de l'en féliciter, en privé...

Il reprit la main de la jeune flûtiste.

— Ravi d'avoir fait votre connaissance, poursuivit-il en l'entraînant.

Tous deux se retrouvèrent dehors, dans la nuit silencieuse. S'adossant à un pilier, elle poussa un soupir de soulagement.

— Enfin !

Ils ne percevaient plus que les lointaines rumeurs de la ville, devant eux. Elle savoura avec délices ce moment de répit.

— Ça va ? demanda-t-il.

Elle paraissait soudain petite et fatiguée, délicate poupée bousculée par le vent.

Elle se redressa, contempla le visage à demi éclairé de l'homme qui s'était présenté sous le nom de Jim Guthrie. La voix nasillarde avait soudain fait place à un timbre plus profond et sans doute plus naturel.

— Ça va, répondit-elle.

Elle respira une bouffée d'air frais.

— Parfois j'ai l'impression de me noyer sous ces flots de bavardages inutiles.

— Alors pourquoi les supportez-vous ?

— C'est mon métier.

— Je pensais que vous étiez flûtiste.

— J'aimerais voir les choses aussi simplement que vous.

Elle se mit à marcher lentement sur l'allée de terre battue.

— En tout cas, merci.

— Merci de quoi ?

— De m'avoir sortie de ce piège. Je me demandais comment m'en dépêtrer.

Il sourit.

— Je ne sais pas lequel de nous deux s'ennuyait le plus. Mais quand je vous ai vue en face de ce sinistre personnage, j'ai compris qu'il était de mon devoir d'intervenir.

Elle songea à cet instant qu'elle ne savait rien de cet homme, ni pour quelle raison il était venu la chercher. Elle s'engagea dans la rue à grandes enjambées et il lui emboîta aussitôt le pas. Elle n'avait jamais commis une telle imprudence. Pourquoi avoir quitté un concert en compagnie de cet inconnu ? Parce qu'il l'avait attendue patiemment devant la porte ? Pour son sourire énigmatique ? Pour son accent ? A cause d'une allusion à son père ? Parce que le premier prétexte venu était le bon pour s'enfuir ?

— Attendez !

Il la prit par le bras et elle se rendit compte qu'elle était presque en train de courir.

— Où allez-vous comme ça ?

— Est-il vrai que vous travaillez pour mon père ?

Maintenant, elle avait peur.

— Oui. Je ne vois pas pourquoi j'aurais inventé cela... Vous ne me croyez pas.

Il lut l'effroi dans ses yeux et, instinctivement, leva la main pour lui caresser la joue. Elle esquiva son geste.

— Je suis pressée !

— Non, non, Rachel.

Il la rattrapa de nouveau.

— Je vous en prie. Je ne vous veux aucun mal !

Elle tentait de lui échapper, pâle et fragile dans la ville dangereuse.

— Rachel ! Il faut que je vous parle !

Elle leva la main sans le regarder, secoua la tête et poursuivit son chemin.

Puisqu'elle refusait de l'entendre, il lui saisit le bras.

— Qui êtes-vous ? demanda-t-elle essoufflée.

— Jim Guthrie, je vous l'ai déjà dit. J'arrive directement de Raleigh.

— Et vous travaillez pour mon père ?

— Depuis deux mois.

Il sortit son permis de conduire où elle put constater qu'il habitait effectivement Raleigh. Puis il lui montra un laissez-passer S.C.T. qu'elle reconnut immédiatement. La Southern Computer Technology, société de recherche en informatique, appartenait à son père. Cette fois, elle ne pouvait plus conserver le moindre doute.

— Excusez-moi.

Elle eut une moue penaude.

— Vous devez me trouver bien timorée.

— Mais pas du tout...

Ce sourire avait le don de la troubler et elle comprit qu'elle s'était avant tout méfiée de ses propres élans envers ce bel homme brun.

— Je n'avais même pas imaginé que vous alliez entrer si facilement dans mon jeu ! Ce n'était pas très prudent.

Il haussa un sourcil.

— Et cette rue sombre... je ne vous y laisserai pas seule.

Elle frissonna rétrospectivement au souvenir de sa frayeur.

— Avez-vous froid ?

Sans attendre de réponse, il ôta sa veste pour la poser sur ses épaules et la jeune femme se sentit bientôt rassurée par tant d'attention.

— N'aviez-vous pas de sac ou de manteau ? demanda-t-il, soudain préoccupé.

— Non. Il faisait si bon quand nous avons quitté l'hôtel que je n'ai rien pris. Et puis j'ai horreur des sacs à main.

Elle sourit en montrant un billet de dix dollars caché dans une chaussure.

— Ceci me suffit amplement ; quant à la flûte, Ron s'en charge.

— Vous avez confiance en lui ?

Pour sa part, il ne lui aurait pas donné son chien à garder.

— Totalement.

Ce n'était pourtant pas la stricte vérité.

D'une main légère, Jim la poussa pour l'inciter à le suivre.

— C'est drôle, j'aurais juré qu'un musicien ne se séparait jamais de son instrument. Je vous aurais plutôt vue le polissant amoureusement tous les soirs, le reposant dans son étui de velours après l'avoir embrassé.

Rachel répondit d'un sourire confus.

— Vous vous moquez de moi.

— Alors, c'est vrai ?

— Non. Tout au moins pas pour moi. Pourtant je veux bien croire que certains musiciens éprouvent un sentiment de ce genre pour leur instrument...

— Mais pas vous.

— Non. Ne vous méprenez pas sur moi. J'aime jouer de la flûte. Ce fut toujours mon...

Elle hésita et sa voix prit une intonation poignante.

— Mon refuge. Mais je garde une attitude réaliste.

— Ah oui ?

Tout en marchant à son pas, il la contemplait, ravi de l'entendre parler. Musical, le timbre de sa voix exprimait parfaitement sa personnalité.

— Et qu'appelez-vous une attitude réaliste, en l'occurrence ?

Elle le regarda, comme si elle cherchait ses mots, et finit par répondre :

— Avez-vous un appareil photo, Jim ?

— Oui.

— Un Nikon ?

Il sourit.

— Non. C'est trop cher pour moi.

— Mais vos photos seraient meilleures si vous en aviez un ?

Pour le genre de photographies qu'il était amené à prendre, même de nuit, avec des films à infrarouge, il n'avait pas besoin d'un tel matériel.

— Je ne le pense pas. Ou vous avez un sujet à photographier ou vous ne l'avez pas. Ou vous savez utiliser un appareil... ou vous ne le savez pas. J'ai pris de merveilleux clichés avec un appareil de poche.

Elle esquissa un sourire satisfait.

— Vous voyez... Le sujet et le photographe sont plus importants que le matériel ; j'en dirais autant pour ma flûte. Pour mes flûtes... J'en possède plusieurs : elles ne sont ni ordinaires, ni extraordinaires. N'importe laquelle convient pour un concert. L'important, c'est la musique... et moi.

Elle rougit.

— Pardonnez-moi si je vous parais un peu vaniteuse. En fait, je voulais dire que tout dépend de la façon dont on s'en sert.

— Je n'ai rien à vous pardonner.

Elle avait des raisonnements clairs et des

manières plaisantes. Elle baissa la tête et poursuivit sur le ton de la confidence :

— J'avais un instrument préféré quand je suis entrée dans cet ensemble. Mais on me l'a volé.

— Avait-il plus de valeur que les autres ?

— Sentimentalement, oui. Mon père me l'avait offert pour mon seizième anniversaire.

Elle n'ajouta pas qu'il y avait joint un mot en pensant à sa mère « qui eût été si fière de sa fille ». Rachel n'avait jamais vraiment su comment elle était morte et supposait que c'était à sa naissance. Mais, depuis quelque temps, un doute terrible la tourmentait. Et si sa mère vivait toujours ? Si, pour quelque abominable raison, elle avait décidé d'ignorer son existence ?

Perdue dans ses pensées, elle s'était arrêtée ; deux doigts puissants lui prirent le menton. Jim la dévisageait, la transperçait de son étrange regard.

— Comme vous avez dû en souffrir... perdre quelque chose qui comptait tant pour vous.

Qu'en savait-il ? Mais non, elle était certaine que son père ne s'en était confié à personne, pas même à elle !

— Oui, murmura-t-elle.

Elle ne pensait déjà plus ni à son instrument perdu ni à sa mère disparue, mais à cet homme impressionnant qui lui faisait face, avec son long visage anguleux et sa bouche sensuelle. Il émanait de lui un magnétisme presque palpable. Il était vigoureux, vigilant, vibrant, ses veines palpitaient le long de son cou.

Troublée, Rachel recula, baissa la tête. Jim n'insista pas car il avait soudain besoin de cette légère distance pour remettre de l'ordre dans ses idées. Jamais une femme ne l'avait si vite et si violemment attiré. S'il n'en avait tenu qu'à lui, il l'aurait déjà embrassée dix fois et menée directement à sa chambre d'hôtel. Attirance physique irrésistible ? Oui, mais pas uniquement. Il avait vu ses yeux, senti l'onde tiède de son regard le traverser. Il avait vu ses lèvres marquées des traits de la tristesse et sa détresse l'avait ému bien plus profondément que toute la séduction qu'elle pouvait exercer sur lui.

Elle s'éclaircit la gorge et se remit en marche.

— Bien, dit-elle l'air désinvolte. Vous ne m'avez pas dit pourquoi vous étiez venu à Chicago.

Il ne voulait pas la bouleverser et, un instant, fut tenté de lui mentir. En la découvrant si blonde, si fragile et si douce, il avait compris pourquoi Tom n'avait pas voulu l'avertir par téléphone. Ces épaules délicates supporteraient-elles un fardeau supplémentaire ? Pourtant il mesura combien Tom avait besoin d'elle. Et puis n'avait-elle pas le droit de savoir ? D'ailleurs, quelque chose en elle proclamait qu'elle possédait plus de force qu'il n'y paraissait à première vue.

— Je suis venu pour vous voir.

Elle s'empourpra, saisissant tous les sous-entendus de cette phrase.

— Bien, j'en suis flattée, mais encore ? Mon

père n'a pas l'habitude de m'envoyer des messagers dans le simple but de me rencontrer.

— Il vous en envoie souvent ?

— Ça lui arrive. Pour affaires.

Elle eut un sourire plein d'affection à l'évocation du vieil homme.

— Il suit pas à pas chacune de mes tournées, afin de savoir exactement où me joindre en cas de besoin. Si l'un de ses employés passe par une ville où nous nous produisons, il lui procure un billet. Je suis toujours heureuse de rencontrer ses collaborateurs. Ils me rappellent le pays.

Elle poussa un soupir, nostalgique.

— Alors, Jim Guthrie, de Raleigh, Caroline du Nord, pouvez-vous me dire ce qui vous amène à Chicago, Illinois ?

Elle enchaîna aussitôt avec une autre question :

— Quel est votre emploi à la S.C.T. ? Je ne crois pas avoir jamais entendu parler de vous.

— Cela m'étonnerait, en effet.

Si Tom Busek n'avait rien dévoilé de ses soupçons à sa fille, il ne l'avait certainement pas informée du contrat de Jim.

— Nous sommes arrivés à votre hôtel.

Elle lui adressa un regard surpris.

— Mon père vous a vraiment mis au courant.

— En fait, précisa-t-il en lui ouvrant la porte, j'ai lu par-dessus son épaule.

— Comment ?

Dans la lumière du hall, elle vit les reflets d'ambre de ses yeux. Il eut un sourire amusé.

— C'est une habitude que j'ai prise il y a longtemps, au départ juste pour contrarier mon professeur. Je lis très facilement à l'envers et cela me rend bien des services.

Ils s'étaient arrêtés devant le bureau de la réception, sans trop savoir vers où diriger leurs pas. Rachel se disait qu'elle aurait dû le remercier de l'avoir raccompagnée, s'excuser et l'abandonner là. Jim s'en doutait et se demandait comment expliquer calmement la raison de sa présence.

Il s'éclaircit la gorge.

— Vous devez être fatiguée, le concert, la réception, tout cela...

— Non, ça va bien. Mais vous ? Vous arrivez à peine de voyage.

— Ce n'est rien. Je ne devrais pas vous retenir ainsi...

— Ne vous inquiétez pas. A moins... à moins que vous ne deviez partir.

— Non... Ecoutez...

Il la contempla, comme si ce visage lisse allait lui donner la clé d'un sombre mystère.

— Je... j'ai faim. Dans l'avion, ils nous ont servi une sorte de pâtée pour chiens.

Il regarda autour de lui.

— Si nous allions manger quelque chose ? Il y a bien une cafétéria par ici.

Elle se rappela soudain l'envie qu'elle avait eue de se mettre vraiment à table et sourit.

— Les grands esprits se rencontrent. Suivez-moi.

Elle ressortit d'un pas décidé et le mena à un snack attenant à l'hôtel. Ils s'assirent, commandèrent des hamburgers au bacon, des frites et de la bière. Enfin, seulement, Rachel poussa un soupir.

— Bien... maintenant... dites-moi ce que vous faites à la S.C.T.

Il ne répondit pas immédiatement, bien qu'il sût que plus il attendait, plus il risquait de lui faire du mal.

— Je suis...

Il hésita.

— Oui ?

— Plutôt que pour la S.C.T., je travaille directement pour votre père.

— A mes yeux, c'est la même chose.

— Pas cette fois. Votre père m'a chargé d'une mission particulièrement délicate.

Les yeux de la jeune femme se mirent à briller.

— Le projet d'irrigation ? Vous y travaillez ? C'est drôle, je ne vous aurais pas imaginé dans la micro-électronique.

Il hésita de nouveau. Elle était si fine, si posée. Il n'était pas de son monde et, pour la première fois de sa vie, cette discrimination le gêna.

— Dans quelle branche m'auriez-vous imaginé ?

— Je ne sais pas. Dans l'organisation d'un service, peut-être.

Son regard se posa sur ses mains larges, aux longs doigts minces.

Leurs yeux se croisèrent. Elle ignorait pourquoi cet homme la troublait tant ; peut-être parce qu'elle n'avait jamais approché que des intellectuels, malgré ses vingt-neuf ans. Mais elle ne tarda pas à comprendre qu'il l'attirait d'abord par sa sensualité virile et saine, comme un homme qui avait bien les pieds sur terre pouvait attirer une femme aussi aérienne qu'une flûtiste.

Elle recommença à le questionner :

— Quelle mission remplissez-vous pour mon père ?

N'importe quelle question eût été la bonne si elle avait pu l'aider à se libérer de ses pensées.

Cette fois, Jim devait bien répondre. Incapable de trouver une explication qui la ménage un peu, il se contenta de sortir une carte de sa poche et de la lui tendre. Interloquée, elle leva vers lui un visage blême.

Chapitre 2

— Détective privé ? murmura-t-elle. Pourquoi mon père fait-il appel à un détective privé ?

Cela avait-il le moindre rapport avec ces doutes qui l'assaillaient à propos de sa mère ? Tom Busek avait-il découvert quelque chose de nouveau, de douloureux, sans doute ? Elle avala sa salive.

Comme s'il n'y avait là rien que de naturel, Jim lui prit la main.

— Ne vous inquiétez pas, Rachel. Vos vies ne sont pas en danger.

Ce n'était qu'un demi-mensonge : il lui revenait de veiller à leur sérénité, de leur éviter tout danger grave.

Lorsque la serveuse apporta deux grands verres de bière, il lui tendit le sien et la laissa boire.

— Que se passe-t-il ? finit-elle par demander. Je veux savoir !

— Dans un sens, vous aviez raison : il s'agit bien du projet d'irrigation.

Quand elle apprit que les difficultés n'étaient liées qu'au travail, le soulagement de la jeune femme fut visible ; mais aussi de courte durée. Tous les rêves de son père, toute sa vie tournaient autour de ces plans.

— Continuez.

— Ces derniers mois, votre père s'est aperçu de manœuvres étranges, de retards démesurés, de difficultés inattendues.

— Du sabotage ?

— Pas vraiment. Je parlerais plutôt d'espionnage industriel. Quelqu'un qui chercherait à gagner du temps, pour pouvoir copier vos microprocesseurs et les mettre sur le marché avant la S.C.T.

— Mais c'est ridicule ! Mon père a tenu en main ce projet dès sa conception ! Il l'a mis en route quand il n'intéressait personne. S'il avait trouvé l'argent nécessaire, il aurait pu le lancer depuis des années. Mais l'idée d'utiliser un microprocesseur pour régler l'écoulement de l'eau et des engrais indispensables aux plantes apparaissait alors, à tous, comme une aimable utopie.

Elle en serrait les poings de rage.

— Et maintenant qu'il touche au but, que nous sommes sur le point de voir les plantes pousser, quelqu'un s'apprêterait à prendre le train en marche ?

Il lui caressa la main pour tenter de calmer sa fureur.

— J'en ai peur, expliqua-t-il tranquillement. Du moins est-ce pour cela que votre père m'a engagé.

— Et où en êtes-vous ?

— J'y arriverai, mais ce sera long.

— Comment cela ? Ou il se passe quelque

chose et vous intervenez, ou il ne se passe rien et votre mission s'arrête là.

— Oui, mais il reste encore à trouver des preuves et c'est bien là le plus difficile.

Elle eut un air accablé.

— Pauvre papa. Lui qui se préoccupait si peu... des autorités.

— Et pourtant, il devra coopérer avec elles s'il veut obtenir un résultat.

Les hamburgers arrivaient. Ils se turent un moment, le temps de savourer les premières bouchées. Elle n'avait jamais eu l'occasion de partager un repas avec un homme de ce genre, si viril, si puissant et gentil à la fois. Son monde était fait de musiciens, d'interprètes et de critiques musicaux.

— Mangez, Rachel.

Elle tressaillit, étonnée par la familiarité avec laquelle il s'était adressé à elle. Elle se mit à picorer dans son assiette.

— Vous me rappelez mon père. Mange, Rachel. Dors, Rachel. Va te promener, Rachel.

— Il vous étouffe un peu ?

Elle secoua vivement la tête.

— Oh non ! Enfin, pas exactement. Il se fait du souci pour moi.

Sa voix n'était plus qu'un murmure :

— Comment lui reprocher son amour, surtout pour le peu de temps que je passe à la maison ? Au contraire, il est doux de se faire dorloter... parfois.

Il lisait l'amour dans ses yeux et un élan

brusque lui fit regretter de n'être pas concerné par cette lueur tendre. Il pensa à sa propre vie et sa physionomie s'assombrit. Rachel s'en aperçut aussitôt.

— Ne trouvez-vous pas ?

Elle céda soudain à une impulsion :

— Vous avez une femme qui vous attend à Raleigh ? Et des enfants ?

Sans s'en rendre compte, elle retenait son souffle.

Il l'observa un instant, attendri.

— Non, ni femme ni enfants. Mon travail... ne me permet pas ce genre de vie.

Comme elle fronçait les sourcils, il tenta de s'expliquer :

— Ne vous fiez pas à ce que vous voyez à la télévision : palaces, voitures de sport, grand luxe. Evidemment, si je pouvais rouler dans une Ferrari rouge...

Il eut un petit rire désenchanté.

— Malheureusement, la filature discrète ne permet pas ce genre de véhicule, beaucoup trop voyant.

— Quelle est donc votre voiture ?

Il haussa les épaules.

— Cela dépend. J'en acquiers une nouvelle tous les six mois environ, d'occasion bien sûr, et qui passe inaperçue. Quant à ce qu'elle a sous le capot, c'est une autre histoire !

Il mordit dans son hamburger et se rendit compte qu'elle ne le quittait pas des yeux, les mains crispées sur sa fourchette.

— Qu'y a-t-il ?

Elle baissa la tête.

— Je suis là à vous interroger sur vos voitures alors que je devrais m'inquiéter des ennuis de la S.C.T. Vous devez me trouver bien étourdie.

S'il pouvait deviner les idées qui lui trottaient dans la tête, songea Rachel, il aurait encore une autre opinion d'elle...

— Vous n'êtes pas étourdie.

Ses yeux d'ambre brillaient tant dans la lumière qu'ils en devenaient jaunes, comme ceux d'un chat.

— Je sais bien que vous vous tourmentez pour votre père, mais je sais aussi qu'on a parfois besoin de diversions pour détendre l'atmosphère.

Il sourit et ressembla ainsi à un félin narquois et pourtant aux aguets.

— Mais j'aime à croire, ajouta-t-il très bas, qu'il ne s'agissait pas d'une simple diversion.

— Que voulez-vous dire ?

Lorsqu'il tendit la main pour repousser une mèche derrière son oreille, elle ne réagit pas. Lorsque ses doigts se posèrent délicatement sur sa nuque, que son pouce lui caressa le coin de la bouche, elle se figea. Lorsqu'il traça lentement le contour de ses lèvres, sans cesser de sourire, elle crut que son cœur allait éclater.

— Vous êtes une très belle femme, Rachel, murmura-t-il.

Sa main tremblait légèrement.

— Je dois vous paraître bien banal, puisque la plupart des hommes qui vous ont entendue jouer sont certainement tombés amoureux de vous.

Son sourire s'était maintenant teinté d'un pli mélancolique, d'une intensité poignante.

— Parlons des détectives. On dit qu'ils sont très entourés...

Elle s'était entendue poser l'audacieuse question, comme si elle avait été dite par quelqu'un d'autre, une étrangère qui aurait parlé à sa place. Elle eut un mouvement de recul.

Le souffle court, Jim s'adossa à son siège. Il avait abandonné son cou mais caressait toujours sa main qu'elle avait posée sur la nappe.

— S'ils l'étaient, dit-il tristement, je dirais que c'est de la folie. Ma vie n'est pas plus adaptée que la vôtre à une relation suivie. Je passe les trois quarts de mon temps dans une voiture ; vous, vous sautez d'un avion à l'autre, d'un hôtel à l'autre. Nous serions fous...

Il avait prononcé ces derniers mots d'une voix rauque qui masquait mal son irritation.

Il n'en fallut pas plus à Rachel pour reprendre ses esprits. Elle dégagea sa main, la posa sur ses genoux.

— Excusez-moi. Vous avez raison.

Elle lui sourit gravement, comme pour signifier que les digressions étaient terminées.

— Mangez un peu !

Elle obéit, avala sans conviction une bouchée, puis l'autre, jusqu'à se sentir rassérénée.

— Racontez-moi ce que vous faites pour mon père. Il doit tellement s'alarmer pour cette histoire.

Elle fronça les sourcils et ajouta :

— Il aurait dû m'en parler.

— Il sait que vous avez vos propres soucis. Mais je l'ai vu dans la même colère que vous tout à l'heure. Heureusement, je crois que nous sommes sur le point d'aboutir à un dénouement.

— Vraiment ? Racontez.

Intéressée par la tournure que prenait la discussion, elle finit son assiette.

Il but une gorgée de bière, cherchant quels mots choisir pour ne pas la heurter, quitte à dissimuler l'essentiel. Il lui fallait la protéger, c'était plus fort que lui.

— J'ai compris que tout tournait autour de dcux hommes...

— Est-ce que je les connais ?

— Peut-être. Connors et Renko. Ils ont tous deux des ennuis financiers. Connors à cause des pensions alimentaires qu'il doit verser à ses deux ex-épouses, sans compter sa toute jeune fiancée ; Renko parce qu'il se fait construire une résidence secondaire malgré ses dettes de jeu.

— Alors ce n'est qu'une question d'argent ?

— Ce n'est pas si simple. L'espionnage industriel peut aussi être suscité par le goût du risque, ou du pouvoir, ou pour exercer une vengeance.

— Une vengeance ? Mais contre qui ? Mon père ne ferait pas de mal à une mouche !

— Je n'ai pas dit qu'en l'occurrence il s'agissait de cela, mais c'est une possibilité. Imaginez, par exemple, qu'à une époque ou une autre, votre père ait pu nuire à quelqu'un, sans même le vouloir.

— Mon père est la gentillesse faite homme. Il ne pourrait...

— Je sais. Mais on n'édifie pas une société comme la S.C.T. sans engager et renvoyer du personnel, sans adopter et refuser des projets, sans se mettre en concurrence avec d'autres firmes. On offense toujours quelqu'un d'une façon ou d'une autre, on suscite des jalousies.

Une image terrible repassa dans l'esprit de Rachel, celle de son père, l'une des rares fois où il avait dormi près d'elle, et rêvé, et parlé dans ses rêves... « Ne pars pas, Ruth... Nous nous en sortirons... Il a tort et toi aussi... Mais ce que nous possédons... et ce bébé... »

— Rachel ?

Elle sursauta.

— Où êtes-vous ?

Elle lui trouva la voix douce, comme s'il était sincèrement inquiet pour elle.

— Vous êtes si pâle tout d'un coup !

— Ce n'est rien.

— En êtes-vous certaine ?

Elle hocha la tête, retrouvant peu à peu son calme.

— Alors ce sont Connors et Renko ?

— Oui. J'en suis sûr à quatre-vingt-quinze pour cent.

— Seulement ?

Elle avait pris un ton désinvolte.

— Et quand pensez-vous trouver les cinq pour cent qui vous manquent ?

— A la conclusion de l'affaire.

— Bientôt ?

Il haussa les épaules.

— J'espère dans un mois, ou deux au plus tard. Les plans d'irrigation devaient être lancés en novembre et votre père a avancé cette date à septembre.

Elle ouvrit grand les yeux.

— Peut-il y arriver ? Il travaille déjà plus que de raison !

Jim s'éclaircit la gorge. Il s'attendait à une tirade sur la santé de Tom Busek, mais Rachel le surprit encore une fois par son aptitude à sauter d'un raisonnement à l'autre.

— Et comment envisagez-vous votre action pour les jours à venir ? Dans quelles directions orientez-vous vos recherches ?

— Il me faut cette preuve concrète que j'évoquais tout à l'heure. En supposant que l'un de ces deux hommes revende les projets à une entreprise concurrente, j'ai besoin, par exemple, de photos de leurs rendez-vous et des copies des virements sur leur compte en banque.

— Vous devez les prendre sur le fait ?

— De préférence, oui. Mais ils ne se rencontrent certainement pas dans des lieux publics. Alors je n'ai plus qu'à les suivre et attendre.

— Tous les deux en même temps ?

— J'ai un associé.

— Je vois. Et il travaille pour mon père également ?

— Non. J'ai été le seul engagé à la S.C.T.

Officiellement, je suis porte-parole auprès des autorités.

— Vous aimez votre travail, n'est-ce pas ?

Il eut un petit rire.

— Il vaut mieux ! Avec toutes les heures que j'y consacre ! Pourquoi riez-vous ?

— Parce que c'est exactement le genre de réponse que je donne à ceux qui me posent cette question ! Et je suppose que vous obtenez de bons résultats.

— Je ne manque pas de clients depuis quinze ans.

— Sont-ils tous satisfaits ?

— Cela dépend. Il y a les hommes qui me paient pour suivre leur femme et quand je leur apporte la preuve de leurs soupçons, ils sont anéantis. Tout comme ces avocats qui me demandent une enquête pour les convaincre de l'innocence de leur client et qui se retrouvent obligés de défendre un coupable.

— Que se passe-t-il alors ?

— Pas grand-chose. L'avocat peut au moins veiller à ce que les droits de son client soient respectés...

Elle demeura un instant pensive.

— Avez-vous l'impression d'exercer une profession très utile ?

— Tout à fait. Même si les résultats ne correspondent pas à mes illusions ou à mes souhaits, il faut bien faire face à la réalité. Ainsi, lorsque nous retrouvons la trace d'une personne disparue : certaines le sont volontairement, d'autres non. Je pense, malgré la cruauté d'une telle révélation, qu'il vaut mieux savoir un être mort que de s'interroger sa vie durant sur son sort.

Elle tressaillit. Voilà des mois qu'elle se posait une semblable question au sujet de sa mère. N'était-elle pas vivante ?

— Vous devez avoir raison, murmura-t-elle, les yeux dans le vague.

Il vit passer sur son visage une intense émotion qui lui donna l'impression de se trouver face à l'un de ces clients malheureux. Curieux...

Elle releva la tête.

— Vous arrive-t-il de vous sentir concerné par les affaires que vous dénouez ?

— Je devrais vous répondre non, je suppose ? Mais si, pourtant. Je me sens terriblement concerné par toute la misère que je côtoie sans arrêt. Je souhaite même, bien souvent, en voir moins.

Elle soupira, jouant avec son verre de bière.

— Je ne voudrais pas avoir l'air de changer de sujet, mais je ne comprends toujours pas ce que vous faites à Chicago. Papa sait que je dois rentrer dans trois semaines et il n'a même pas mentionné ces difficultés au téléphone. Je ne comprends pas pourquoi il m'envoie tout d'un coup un messager.

Jim prit un air un peu gêné.

— Il n'a envoyé personne. Je suis venu de mon propre chef.

Elle resta un moment sans voix.

— Vous voulez dire qu'il ignore votre présence ici ?

— Je crois qu'il s'en doute : j'avais tant insisté pour qu'il vous avertisse lui-même ! En tous cas, il ne m'a pas arrêté quand il a compris que je... lisais par-dessus son épaule.

Elle n'avait plus envie de rire.

— Mais pourquoi ? Pourquoi n'a-t-il rien voulu me dire ?

— Il refusait de vous inquiéter.

— Et vous lui donnez tort ?

— Oui. Parce que moi aussi, je m'inquiète, Rachel.

— Pour le projet ?

— Pour votre père.

— Quelque chose ne va pas ?... Jim ?

Elle avait laissé retomber ses mains sur la table. Il posa les siennes sur les doigts effilés.

— Il travaille trop, annonça-t-il aussi gentiment qu'il le put. Sa santé s'en ressent.

Elle ouvrit des yeux affolés.

— Que voulez-vous dire ?

— Son cœur. Le médecin veut l'opérer.

— Opérer ? Comment cela ?

Il ne pouvait plus reculer désormais. Il lui fallait dire toute la vérité.

— Une triple sténose orificielle.

Elle ne comprenait pas très bien bien de quoi il s'agissait, mais la tête lui tourna quand Jim évoqua une opération à cœur ouvert.

Incrédule, elle secoua la tête et une mèche lui tomba sur l'épaule. Il la lui remit en place mais elle était trop bouleversée pour y prendre garde.

— Je ne me rendais compte de rien... Il paraissait si bien se porter !

— Quand l'avez-vous vu pour la dernière fois ?

— Il y a six semaines. Mais nous nous téléphonons chaque dimanche. Avant-hier encore, il ne me parlait que de projets qui l'enthousiasmaient.

— Il avait eu un malaise le vendredi et vous parlait depuis l'hôpital.

— Mais... c'est impossible ! Puisque c'est moi qui l'appelais...

Elle s'interrompit, se rappelant soudain que, ce jour-là, il en avait justement pris l'initiative.

— C'est lui qui vous a jointe, n'est-ce pas ? demanda-t-il doucement.

Elle finit par hocher la tête, d'un air consterné.

— Je ne me suis doutée de rien. Il a seulement dit qu'il voulait me parler plus tôt. Il m'a même semblé tout content.

Elle poussa un soupir un peu tremblé, comme un sanglot, porta ses doigts à ses tempes.

— Je ne parviens pas à y croire... Il a toujours été si fort !

— Il est fort, Rachel. Au moins dans sa tête, maintenant. Mais c'est justement de là que viennent nos difficultés et voilà pourquoi je suis venu vous voir. Il refuse cette opération, en tout cas pour le moment. Il dit que la S.C.T. a trop besoin de lui ces temps-ci. Pourtant il faut que quelqu'un parvienne à le convaincre. J'ai fait mon possible mais je ne le connais que depuis deux mois. Et puis vous sauriez trouver des arguments qui le toucheraient mieux.

— J'en doute. Après tout, il voulait me tenir à l'écart.

Elle secoua la tête, répétant incrédule :

— Son cœur !

Jim précisa :

— Il avait éprouvé quelques difficultés à respirer la semaine qui précédait. Selon les médecins, il est impensable d'attendre cinq ou six mois pour opérer. Vous devez le lui faire comprendre.

— Vous croyez qu'il va m'écouter !

— Vous êtes sa fille. Personne ne compte plus que vous à ses yeux.

Elle regarda autour d'elle, désemparée. Des dîneurs inconnus, comme tous les soirs pendant ces interminables tournées, comme tous les soirs et toutes les semaines qui venaient de passer ! Si elle mourait une nuit, dans son hôtel, nul ne s'en soucierait, à part Tom Busek.

Elle se sentait seule, démoralisée. Elle se leva, se dirigea vers la sortie, et disparut, l'esprit en ébullition.

Seule dans sa chambre, elle composa le numéro des Pins. Il n'était pas loin d'une heure du matin et elle priait le ciel pour entendre les remontrances de son père, qui récuseraient par là même l'histoire que venait de lui raconter Jim Guthrie.

A la troisième sonnerie, on décrocha.

— Résidence Busek, dit une voix endormie.

— Madame Francis ? Ici Rachel.

— Rachel ?

La voix se raffermit.

— Que vous arrive-t-il, mon petit ?

— Rien... Mon père est-il là ?

Il y eut un silence et la jeune femme serra les dents, espérant sans trop y croire une affirmation qui l'apaiserait.

— Non, il est...

Elle comprit quc Gertrude Francis avait été chapitrée et termina elle-même la phrase :

— A l'hôpital ?

En prononçant ces mots, elle étouffa un sanglot. Ainsi c'était donc vrai.

— Comment va-t-il, ce soir ?

Visiblement soulagée de n'avoir pas à mentir plus longtemps, Mme Francis se montra plus loquace :

— Encore faible et fatigué. Ils lui ont fait passer des examens, mais il fait la sourde oreille à l'opinion des médecins. Rachel... comment avez-vous appris ?

— J'ai rencontré quelqu'un.

— M. Guthrie ?

Elle soupira.

— Enfin il s'est décidé à prendre les choses en main ! Croyez-moi, votre père lui en a fait voir !

— Jim était à la maison ?

— Il y a passé plusieurs nuits ces derniers temps. Votre père s'enfermait avec lui dans son bureau et je les entendais qui discutaient sans arrêt ! M. Guthrie voulait qu'il se repose, qu'il ralentisse un peu. Mais votre père est bien trop têtu !

Maintenant qu'elle savait ce qu'elle voulait,

elle abrégea la conversation aussi courtoisement qu'elle le put et raccrocha. Elle composa aussitôt le numéro de la chambre de Ron. Elle devait le mettre au courant de ses intentions.

— Ron ?

— Rachel ! J'ai essayé plusieurs fois de vous joindre ce soir ! Tout va bien ?

— Non. Ecoutez, il faut que je rentre chez moi quelques jours.

Le manager resta muet un instant, puis demanda :

— Que se passe-t-il, Rachel ?

— Mon père. Il est malade.

— Oh, petit ! C'est terrible ! Est-ce grave ?

— Son cœur.

Elle se sentait maintenant assommée par cette succession d'événements et seuls les mots les plus plats lui venaient à l'esprit.

— Je l'ai appris tout à l'heure. Je prends le premier avion demain matin.

— Crise cardiaque ?

— Je... ne pense pas. Mais il faudra l'opérer.

— Maintenant ?

Elle hésita de nouveau.

— Je crois. Je ne... connais pas tous les détails.

Elle en savait même si peu qu'elle en éprouvait de la honte.

— Et... Indianapolis ?

— J'y serai. Je rentrerai à temps pour le concert. Voulez-vous m'excuser auprès des autres ? Je vous tiendrai au courant.

— C'est entendu ; mais puis-je me rendre utile

dans l'immédiat ? Avez-vous pris vos réservations ?

Elle n'y avait pas encore songé.

— Non, mais je m'en charge. Merci, Ron, il faut que je m'occupe l'esprit car je crains de ne pas fermer l'œil d'ici à demain.

— Allons, petit ! Je sais que vous tiendrez le coup. Toutefois, si vous changez d'avis, rappelez-vous que je suis là. Bon courage...

Il parut soudain se raviser.

— Au fait, qui était ce M. Guthrie ?

— Pardon ?

— Tim Guthrie.

— Jim.

Ron ne mélangeait jamais les noms, sauf quand il le faisait exprès.

— C'est lui qui vous a apporté cette nouvelle ?

— Oui.

— Il m'a pourtant paru assez gai à la réception !

— Il estimait que ce n'était ni le moment ni l'endroit pour m'en informer.

— Oui, sans doute... Bien, rentrez chez vous, faites ce que vous avez à faire. Et téléphonez-moi.

— Merci, Ron. Je vous promets que je n'y manquerai pas.

Elle raccrocha le récepteur qui pesait soudain lourd, si lourd, dans sa main, et resta immobile, incapable de décider ce qu'elle allait faire maintenant, au cœur de la nuit.

Elle finit par s'assoupir ; mais bientôt elle eut l'impression d'entendre ses oreilles bourdonner, puis, peu à peu, il lui sembla distinguer un grattement à la porte. Elle tourna les yeux vers le panneau de bois orné des sempiternelles recommandations en cas d'incendie. Elle était si lasse de toutes ces chambres d'hôtel ; plus que jamais à cette heure, elle rêvait de se retrouver à la maison, comme par enchantement. Elle comprit alors : en fait, on frappait à la porte.

— Rachel ?

Elle courut ouvrir à Jim Guthrie et se sentit immédiatement apaisée par le regard à la fois tendre et inquiet qui se posait sur elle. Elle pouvait, elle devait le croire, maintenant : il était venu dans le seul but de lui faire connaître l'état de son père.

Sa main se mit à trembler sur la poignée. Elle la lâcha et partit se réfugier à la fenêtre pour cacher les larmes qui lui montaient aux yeux. Elle entendit la porte se refermer doucement, le frottement de la toile de jean qui accompagnait la marche de Jim jusqu'à la table et le froissement du sachet de papier qu'il y déposa. Elle se tourna et le vit sortir deux tasses.

— Du thé, dit-il simplement. Cela vous fera du bien.

Elle avait la gorge trop serrée pour dire un mot. Elle prit la tasse en remerciant d'un bref mouvement de la tête et retourna à sa contemplation de Chicago, la nuit. Une grande ville sombre et impersonnelle. Elle but une gorgée du liquide brûlant qui la revigora un peu et regarda Jim, si calme, installé dans un fauteuil.

— Excusez-moi, murmura-t-elle. Je me suis montrée grossière, tout à l'heure. Vous n'êtes pour rien dans ce qui m'arrive.

— Ne vous excusez pas. Vous étiez bouleversée. Il vous fallait récupérer.

Il but une gorgée de thé.

— Avez-vous téléphoné chez vous ?

— Oui. Mais... comment le savez-vous ?

— Je crois que c'est ce que j'aurais fait à votre place. Comment va-t-il ?

— Mme Francis l'a trouvé mieux cet après-midi. J'aurais bien appelé l'hôpital mais...

— Attendez plutôt demain matin ; à cette heure, on ne vous en dira pas plus.

Elle hocha la tête puis demanda d'une voix plus assurée :

— Pourquoi ne m'avoir pas parlé tout de suite ? Quand je pense à nos plaisanteries en sortant de ce concert ! Vous auriez dû m'avertir !

— Où ? demanda-t-il calmement. Pendant la réception ? Dans la rue, en pleine nuit, sur le bord d'un trottoir ? De toute façon, il n'y a rien que vous puissiez faire avant demain matin.

— C'est vrai, murmura-t-elle en baissant la tête. Mais il aurait pu tout de même m'avertir. Je devrais me trouver avec lui en ce moment.

— Vous avez votre propre vie et Tom est très fier de vous.

— Mais la famille passe avant ! Il devrait le savoir ! C'est égoïste de sa part d'avoir agi ainsi.

— Ne vous montrez pas trop dure, Rachel. Seul son amour pour vous a dicté sa conduite. Il ne voulait pas vous troubler pendant votre tournée.

— Je préférerais qu'il me trouble un peu plus souvent, observa-t-elle sombrement. J'aurais ainsi l'impression d'être un peu plus souvent à la maison.

— Parce que... vous n'aimez pas jouer avec l'ensemble Montague ?

Elle secoua la tête avec une véhémence un peu forcée.

— Si, si. J'adore ! Aucune joie pour moi ne dépasse celle d'interpréter de grands morceaux. Mais, pour le reste...

Elle poussa un grand soupir.

— Je me sens parfois si seule.

Jim vida sa tasse et la déposa sur la table basse. Il se pencha en avant, dans une pose apparemment nonchalante que contredisait son air soucieux.

— Vous n'avez donc pas un... ami parmi les membres du groupe ?

— Ils sont tous mes amis, bien sûr, et je les trouve merveilleux. Mais... ce ne sont que des collègues, après tout.

— Je vois. Et la porte de votre chambre d'hôtel se referme chaque soir sur votre solitude ?

Même Peter n'avait pas vraiment réussi à la franchir. Elle se demanda s'il l'avait compris.

— Oui, murmura-t-elle.

Elle ne réagit pas quand il lui effleura la joue. Il se trouvait soudain si proche d'elle, si fort, si rassurant. Sa présence la réchauffait, comme s'il avait aussi le pouvoir de la protéger du froid.

— Je connais ça, dit-il très bas.

D'un doigt, il effleurait le contour de son oreille, suivant des yeux le dessin délicat de son visage, la courbe douce de sa joue, le pli léger au coin de ses lèvres. Mais il restait surtout fasciné par son regard, qui racontait mieux que tout qui elle était. Malgré sa tristesse et sa solitude, elle paraissait faite pour le bonheur, et l'amour.

— Rachel... Rachel...

Il parlait d'une voix sans souffle, comme brisée par l'émotion.

— Rachel... Ce n'est pas le moment, hélas !

Emue, elle parvint juste à remuer la tête. Bien sûr, il avait raison mais, quelque part en elle, le désir sourd de tout oublier la brûlait. Fermant les yeux, elle posa la main sur celle de Jim, l'espace d'un instant, et s'enivra de son parfum d'homme ; puis elle replia sagement ses bras sur ses genoux.

— Je voudrais rentrer à la maison demain à la première heure. J'ai déjà averti Ron. Il faudrait que je téléphone à l'aéroport.

— Laissez-moi m'en charger et finissez de boire votre thé.

Il s'était allongé sur le lit pour atteindre l'appareil et, sans réfléchir, elle songea à la place qu'il y avait à côté de lui...

— Un vol part à sept heures vingt, annonça-t-il, cela vous va ?

Prise au dépourvu, elle hocha la tête. Il marmonna autre chose et raccrocha.

— Nos places sont réservées.

— Vous venez avec moi ?

— Si vous n'y voyez pas d'inconvénient.

Elle en voyait d'autant moins que cet homme, inexplicablement, représentait la seule tache de couleur dans la perspective sombre de son avenir immédiat.

— Bien sûr que non.

En sa présence, le sentiment de solitude qui l'oppressait plus que jamais cette nuit-là s'évanouissait.

Il jeta un coup d'œil à sa montre.

— Nous devrons nous lever avant six heures. Voulez-vous que je vous téléphone pour vous réveiller ?

Elle possédait un réveil de voyage mais se garda bien de le lui dire.

— D'accord.

Elle espérait que son émoi ne se voyait pas trop. Il y avait bien quatre ans qu'elle n'avait ressenti un tel trouble.

A la porte de sa chambre, il posa les bras sur ses épaules, plongea le regard dans les yeux noirs qui le contemplaient si intcnsément.

— Notre heure viendra, Rachel.

Et il déposa un baiser presque furtif sur ses sourcils. Il savait faire preuve d'une tendresse exquise qui la rassurait, sans pour autant chercher à masquer une attirance plus profonde qu'il savait maîtriser en ces moments graves.

— Dormez bien, murmura-t-il en ouvrant la porte.

— Attendez ! Où allez-vous ? Je veux dire, où

êtes-vous descendu ? Avez-vous une chambre ?...

Il eut un sourire entendu qui la fit frémir de la tête aux pieds.

— Je suis installé quelques étages au-dessous de vous.

Cette réponse lui enleva une part d'inquiétude, et elle vit sans trop d'angoisse la porte se rabattre sur lui. Alors, persuadée qu'elle ne parviendrait pas à s'endormir, elle s'assit au bord de son lit, sortit sa flûte et se mit à jouer doucement des notes inconnues qui, peu à peu, la soulagèrent de son tourment.

Chapitre 3

Rachel venait, malgré tout, de sombrer dans le sommeil quand le téléphone sonna. Elle décrocha dans un brouillard de pensées confuses.

— Rachel... vous êtes réveillée ? Rachel ? C'est Jim. Il faut vous lever.

Elle parvenait à peine à rassembler ses esprits.

— Il est cinq heures et quart... Rachel ?

Pour toute réponse, elle poussa un profond soupir.

— Allons, reprit la voix, je vous attends en bas dans trois quarts d'heure.

Après avoir raccroché, elle alluma la lampe de chevet, plissa les yeux, éblouie, et se rappela enfin les événements de la veille, Jim... rassurant, attirant. Et... son père.

Il était malade. Elle rentrait le voir.

Repoussant ses draps tièdes, elle se leva en hâte.

A six heures, elle le rencontrait dans le hall. Avant qu'il n'eût dit un mot, Rachel lut dans ses yeux l'admiration qu'il éprouvait devant sa fine silhouette vêtue de lin rose. Pour masquer sa fatigue, elle s'était légèrement maquillée d'un fard à paupières bleu lavande, de rose à joues qui soulignait ses pommettes, et ses cheveux tombaient en cascade blonde sur ses épaules.

Ainsi parvenait-elle au moins à camoufler son désarroi.

Elle sentit, en l'apercevant, son cœur bondir dans sa poitrine. Il n'avait rien perdu de sa séduction avec le jour, rasé de près, les cheveux brillants, solide et prêt à l'épauler.

— Pas de bagages ? demanda-t-il.

Elle lui montra un simple sac de voyage.

— Juste ceci. Ron se chargera d'emporter le reste à Indianapolis.

Il lui prit aussitôt son sac et le glissa sur son épaule à côté du sien.

— Souriez, dit-il. Vous verrez que tout ira mieux quand vous aurez rencontré Tom. Avec l'éloignement, l'imagination travaille...

Elle hocha la tête sans grande conviction.

Ils arrivèrent à l'aéroport assez tôt pour prendre un petit déjeuner avant d'embarquer.

— Vous ne mangez rien d'autre ?

Il examinait d'un œil critique l'assiette de toasts dont elle n'avait avalé qu'une mince tranche, alors qu'il dégustait ses œufs et ses muffins.

Elle eut un sourire timide.

— Je ne me sens pas en appétit, avoua-t-elle.

— Vous n'avez pas peur de l'avion, au moins ?

— Non, et heureusement, car j'y passe beaucoup de temps ! Ce n'est pas ça...

Ils savaient tous deux la raison de cette nervosité. Elle but quelques gouttes de thé en plissant le nez, comme si elle prenait un médicament.

— A-t-il eu une crise cardiaque? demanda-t-elle à brûle-pourpoint.

— Non. C'est ce qui permet aux médecins d'envisager une opération imminente sans lui faire encourir trop de risques.

— Mais il y en a tout de même?

— Comme lorsque vous prenez l'avion... Buvez votre thé.

Ils finirent en hâte car leur embarquement venait d'être annoncé. En allant vers la passerelle, ils ne dirent mot. Jim respectait son silence, se demandant si sa réserve provenait de son tempérament d'artiste ou de son enfance solitaire, dans une grande maison, entre un père souvent absent et une gouvernante. Quand il comparait ce qu'avaient été leurs vies jusqu'à ce jour, il se disait qu'aucun hasard n'aurait pu réunir deux êtres aussi dissemblables.

Il choisit des sièges près de l'aile et la jeune femme ferma les yeux au décollage, comme si elle dormait. Quand elle rouvrit les paupières, ce fut pour se réjouir de le voir auprès d'elle et apprécier sa présence apaisante. Mais elle crut bientôt déceler une étrange inquiétude dans le regard d'ambre.

— Qu'y a-t-il? demanda-t-elle à voix basse.

Il eut un sourire en coin qui se voulait rassurant, mais elle ne fut guère rassérénée par ses paroles :

— Rien... Je pensais à une affaire dont je dois m'occuper bientôt.

— Je croyais que mon père vous avait engagé

pour que vous vous occupiez exclusivement de ses ennuis.

— Oui, bien sûr...

— Alors, vous êtes sur plusieurs affaires à la fois ?

— Il le faut bien. C'est une question de finances.

— Et vous ne mélangez pas tout ?

— En fait, non. Mais tout se complique quand je dois m'absenter ou exercer une surveillance continue. Alors je m'arrange pour répartir mon travail entre mes nuits et mes journées ; j'évite aussi de partir trop longtemps. De toute façon, mon métier est surtout fait de longues heures de patience, entrecoupées parfois de quelques moments d'agitation.

Il sourit.

— Malheureusement, on peut rarement les prévoir à l'avance.

Heureuse de l'entendre parler de lui, elle en oubliait un peu sa propre inquiétude.

— Que faites-vous de vos loisirs ? demanda-t-elle.

— Rien, car je n'en ai pour ainsi dire pas, ou alors ils surviennent à l'improviste, entre deux enquêtes. Je n'ai jamais été quelqu'un de très tranquille. Dans mon enfance, déjà, j'étais plutôt considéré comme la terreur du quartier.

— Où habitiez-vous ?

— A Brooklyn.

— Mais... Je croyais que vous étiez du Sud ? Vous n'avez pas l'accent new-yorkais.

— Croyez-vous ? demanda-t-il.

Il venait de prendre une intonation typique des quartiers populaires de la grande ville.

— Voyez-vous, poursuivit-il, je sais m'adapter. Si vous voulez que je me fasse passer pour un Anglais, c'est facile.

Elle sourit en l'entendant prononcer cette dernière phrase comme un étudiant sorti d'Oxford.

— Bravo, dit-elle. Vous savez vous montrer convaincant.

— Vous aussi.

— Moi ?

— Votre sourire.

Pour la première fois, ce matin, elle venait d'avoir un air radieux. Elle détourna les yeux pour s'abîmer dans la contemplation du ciel, à travers le hublot.

— Ah ! Rachel...

Elle sentit sa main se poser sur la sienne et, sans le regarder, prononça doucement :

— Vous avez le don de me faire oublier mes soucis. Quel pouvoir étonnant !

— J'en suis heureux, lui dit-il à l'oreille. J'osais à peine l'espérer.

Il huma l'odeur fraîche de son parfum floral et déposa un baiser sur sa joue, puis s'adossa à son siège sans autre commentaire.

Ils demeurèrent un long moment sans rien dire, les yeux clos, la main dans la main, goûtant ce contact à la fois si pudique et si troublant.

Un trou d'air secoua l'appareil et Jim lui serra instinctivement les doigts, comme pour la rassurer. Elle soupira en se tassant sur son siège. Il était encore très tôt et elle avait l'impression de n'avoir pas dormi depuis plusieurs nuits.

Elle s'assoupissait doucement quand elle sentit la forte pression de la main de Jim sur la sienne. Elle rouvrit les yeux, interloquée, pour constater qu'il somnolait, les paupières closes, les mâchoires crispées. Elle ne put s'empêcher de le regarder, de le trouver dur et tendre à la fois ; dur au travail, certainement, tendre en amour, sans doute. Cette dernière pensée la fit rougir.

Il avait l'air de dormir, mais elle n'en croyait rien.

— Vous êtes... si tendu, murmura-t-elle gentiment quand il ouvrit les yeux. Si vous continuez, vous allez m'écraser les doigts !

Il relâcha aussitôt son étreinte, surpris.

— Oh ! Pardon. Je ne me rendais pas compte !

Elle sourit.

— Encore assailli de sombres pensées ?

— Dans un sens, oui. Mais ce n'est rien. Dites-moi, depuis combien de temps jouez-vous de la flûte ?

— Depuis l'âge de huit ans.

— Et vous avez toujours désiré devenir flûtiste ?

— Pas particulièrement. J'ai commencé par me passionner pour la musique en général. Souvent, le soir dans son bureau, mon père mettait un disque et je m'asseyais dans un coin pour écouter.

Il l'imaginait, petite fille au visage angélique,

réfugiée dans la quiétude d'un lourd fauteuil, fascinée par la mélodie.

— Nous allons bientôt atterrir, dit-il. Qu'auriez-vous fait aujourd'hui si vous n'aviez dû prendre cet avion ? Un jour sans concert ?

Elle haussa les épaules.

— Je me serais reposée, j'aurais dormi tard, répété un peu, vu un film ou assisté à un autre concert, tout au moins quand l'étape suivante ne demande pas trop d'heures de voyage.

— D'aucuns vous envieraient cette vie.

— Quand on aime la musique comme nous l'aimons tous, c'est merveilleux de jouer devant des foules enthousiastes. Mais à cause de nos constants voyages, nous avons complètement oublié ce qu'était la vie de famille.

Un steward leur apportait un plateau et, bien qu'elle n'eût pas grand faim, elle accueillit avec plaisir le jus d'orange et les œufs brouillés.

— Tout cela me paraît plus appétissant qu'une pâtée pour chiens, observa-t-elle amusée.

Il sourit mais revint vite à une idée qui lui trottait dans la tête.

— Votre organisateur vous a laissée partir sans trop de réticence ?

— Oui ; il le fallait bien.

Elle crut deviner ce que sous-entendait cette question. Elle avait déjà perçu la jalousie que Ron concevait envers cet homme et ne pouvait s'empêcher d'espérer que l'inverse fût possible.

Elle sortit une fourchette du sachet en plastique posé sur le plateau et jeta un coup d'œil furtif à son compagnon.

— Vous n'avez pas faim ?

Il considéra son plateau d'un air dégoûté, alors qu'elle se forçait à manger, pensant qu'elle aurait bien besoin d'énergie pour le reste de la journée.

— En tout cas, poursuivit-elle, ces œufs sont bien meilleurs que ceux que je fais moi-même.

— Je ne vous crois pas.

— Vous ne les avez pas goûtés.

— Ils ne sauraient être pires que ceux-ci.

— C'est vous qui le dites !

— De toute façon, si c'est le cas, il n'y a rien de très étonnant à cela : vous êtes une musicienne, et j'ai cru comprendre que vous n'aviez pas vraiment le temps ni l'occasion de fréquenter des cuisines.

— Si, en été. Et...

— Et ?...

— Et Mme Francis a abandonné mon éducation en la matière le jour où j'ai voulu faire des boulettes de viande. Elle estime que celui qui rate ce genre de plat n'a pas droit de cité dans une cuisine. Alors je ne m'y aventure plus que pendant ses jours de congé.

— Mme Francis, c'est elle qui vous a élevée, je crois ?

— Oui, et pourtant je ne l'ai jamais appelée autrement que par son nom de famille.

— Votre mère est morte quand vous étiez enfant ?

— Je ne l'ai jamais connue.

Elle avait beau répondre le plus évasivement possible, elle avait l'impression de ne pas parler en toute sincérité ; elle termina son petit déjeuner en silence.

Quand le steward eut débarrassé leurs plateaux, Jim voulut rompre son mutisme.

— A quoi pensez-vous ?

— Je...

Elle le regarda dans les yeux, hésitante.

— Allons ! Dites-moi tout.

Pourquoi pas ? S'il y tenait tant, elle ne se ferait pas prier plus longtemps.

— Je me demandais quelles étaient vos relations réelles avec mon père. Vous ne le connaissez pas depuis longtemps et, pourtant, il paraît vous confier tous ses secrets. Mme Francis m'a appris que vous vous enfermiez souvent avec lui dans son bureau. C'est curieux, de sa part, lui qui essaye toujours de ne pas mêler sa vie familiale à ses affaires.

Elle marqua un temps d'arrêt, ignorant à dessein la raideur dans laquelle venait de se figer Jim, de peur de ne plus trouver le courage de continuer.

— Il est étrange que mon père ne m'ait jamais parlé de vous et encore plus que ce soit vous qui soyez venu me chercher.

Sa voix s'étrangla.

— Vous êtes peut-être tout aussi étonné que moi...

Elle regretta aussitôt sa franchise : son visage s'était assombri.

— Pensez-vous vraiment ce que vous venez de dire ?

— Je ne sais que penser.

Il eut un rire forcé.

— Vous vous trompez. Les heures que j'ai passées avec votre père étaient consacrées à l'examen minutieux des dossiers du personnel de la S.C.T. Vous imaginez bien que si mes intentions n'étaient pas pures à son égard, je n'aurais pas pris la peine de me déplacer jusqu'à Chicago pour vous parler.

Un autre trou d'air et elle le vit qui se crispait à nouveau. Elle lut dans ses yeux un éclair de... frayeur ? Tout d'un coup elle comprit son attitude : le plateau intact, les mains agrippées aux siennes ou au siège... à ce moment encore, il paraissait tendu.

Elle posa un bras réconfortant sur ses genoux.

— Vous n'aimez pas l'avion ? demanda-t-elle doucement.

Il parut hésiter, la regarda, laissa échapper un long soupir.

— Pas vraiment.

— Oh, Jim !

Elle ne put s'empêcher de sourire tandis qu'un élan d'affection la poussait vers lui.

— Je suis désolée. Je ne me rendais compte de rien ! En tout cas, je vous assure que je ne vous ai jamais pris pour le saboteur !

Elle lui caressa la main.

— Vous m'aviez demandé à quoi je pensais et je vous l'ai dit. Il s'est passé tant de choses pour moi ces dernières heures ! Comprenez que n'importe quelle personne sensée puisse avoir un instant de doute !

— Bien sûr.

Il avait parlé d'une voix si lasse qu'elle en eut le cœur serré.

— Je vous crois, Jim. Vous le savez bien. Je vous fais confiance.

L'avion fut à nouveau secoué et le détective sursauta. Elle se pencha vers lui et, sans trop réfléchir au sens de ce geste, posa un baiser sur sa joue.

— Pardonnez mes réticences, mes hésitations. Quand je pense à ce que vous coûte votre démarche !

Soudain si proche de son visage, elle voyait le grain de sa peau, l'angle de sa mâchoire, la fermeté de ses lèvres. Incapable de bouger, elle respirait son souffle. Elle écarquilla les yeux puis les baissa quand il posa la bouche sur la sienne.

Il effleura ses lèvres mais ne put résister longtemps à tant de séduction. Il recula une seconde, le temps de rencontrer son regard ardent, de savoir qu'elle l'attendait elle aussi. Il caressa sa joue, glissa ses doigts derrière sa nuque pliée et se pencha à nouveau sur elle.

Plus qu'aucune explication embarrassée, ce baiser les réconfortait et les rassurait sur la sincérité de leurs rapports.

— Je n'ai pas besoin d'en savoir plus, murmura-t-il.

Rachel avait l'impression de voguer sur un

petit nuage de félicité et l'avion n'y était pour rien. Tout son esprit, tout son corps vibrait encore de plaisir ; rien n'existait plus pour elle... que Jim Guthrie. Jamais elle ne s'était sentie à ce point liée à une autre personne ; jamais ses sens n'avaient éprouvé si parfaite harmonie.

Elle laissa échapper un léger cri de volupté tout en s'abandonnant à ces lèvres possessives. Il lui sembla qu'à son tour il se mettait à trembler.

— Mon Dieu ! souffla-t-il.

Il ferma les yeux tout en reposant sa joue sur la tempe blonde.

— Je n'arrive pas à y croire...

Elle n'eut pas besoin de lui demander ce qu'il voulait dire. Elle restait aussi abasourdie que lui. En se reculant un peu, elle traça du bout des doigts le contour de cette bouche qui venait de l'embrasser avec tant de ferveur. Elle la trouvait belle, pleine et puissante, comme les traits de son visage.

— Jim... je... je...

Elle était tellement bouleversée par ce qui leur arrivait que toute pensée logique lui échappait.

— Ne dites rien, chuchota-t-il.

Il la prit dans ses bras et sentit sa tête s'appuyer sur son torse, ses mains entourer sa ceinture.

— Oui.

Lui non plus ne trouva rien d'autre à dire quand, très doucement, elle se mit à lui caresser le dos. Toute gêne les avait abandonnés et c'est très naturellement qu'ils se serraient l'un contre l'autre, comme s'ils avaient toujours été destinés à s'étreindre avec ferveur.

Cette idée lui tournait la tête et, soudain intimidée par une si forte découverte, elle le regarda en se mordant la lèvre, comme une enfant devant le trop beau cadeau que la vie lui faisait.

— Oh, ma chérie !

Il lui releva le menton.

— N'hésitez plus jamais avec moi. Il y a autant de passion au fond de vous qu'en moi-même. C'est sans doute ce qui nous lie.

Elle pensa à tout ce qu'ils pouvaient encore avoir en commun, et se rembrunit.

— Il y a aussi mon père.

Elle secoua la tête, désemparée.

— Comment ai-je pu l'oublier un seul instant et me sentir si... insouciante dans vos bras ?

— Vous êtes une femme, avec ses élans, ses désirs. Il serait le premier à comprendre que vous puissiez avoir besoin de les exprimer. Je ne sais pas si les hommes que vous avez connus précédemment vous en ont laissé le loisir, mais moi, j'en ai bien l'intention.

Ses yeux brillèrent d'un éclat doré.

— Si vous avez envie de m'embrasser, poursuivit-il, je veux que vous n'hésitiez pas. Si vous désirez me serrer dans vos bras, faites-le. Tout ce que vous voudrez de moi, vous l'obtiendrez.

Elle se mordit de nouveau la lèvre et, dans un geste de tendresse, il lui entoura le visage de ses mains, sourit de ce sourire éclatant qui lui plissait les yeux et les joues :

— C'est inévitable maintenant ; c'est aussi certain que le lever du soleil tous les matins : il se passera quelque chose entre nous.

Elle resta sans voix, aussi paralysée par cette affirmation que par la tranquille assurance de son compagnon.

Enfin, elle trouva une pirouette qui la tira de son embarras :

— Et vous êtes sûr qu'il se lèvera toujours ?

Elle se demanda s'il l'avait entendue tant son regard demeurait fixement posé sur elle, mais il finit par s'éclairer d'un sourire tendre.

— Absolument.

Ils avaient quitté la zone de turbulences, mais ni l'un ni l'autre n'y prêtèrent vraiment attention tant ils se sentaient bien ensemble.

— Votre présence m'apaise, murmura-t-il. Pour une fois, j'aime l'avion !

Mue par un élan irrésistible, elle l'attira à elle et l'embrassa. Jamais elle ne s'était conduite de la sorte avec un homme, pas même avec... Mais Jim était différent.

— Rachel, Rachel.

Il se libéra doucement.

— Que vais-je faire de vous ?

— Que se passe-t-il ? interrogea-t-elle, soudain inquiète.

Elle se demanda alors si elle n'était pas allée trop loin.

Mais, sans plus d'explication, il lui caressa tendrement la tête, et ce geste la rassura.

L'avion venait d'amorcer sa descente. Pour la première fois de sa vie, Jim n'en éprouva aucune anxiété mais songea plutôt au tourment qui s'installait de nouveau dans l'esprit de la jeune femme.

— Détendez-vous, ma chérie. Tout ira bien.

Elle lui jeta un regard attristé.

— Je l'espère. Pourrai-je aller directement à l'hôpital ?

— Nous irons ensemble.

— Vous viendrez ?

— Bien sûr.

Il vit ses yeux pleins de larmes et en eut la gorge serrée. Il l'attira contre lui tandis que l'avion roulait sur la piste d'atterrissage. Quand il relâcha son étreinte, elle avait recouvré son calme et, à nouveau, il admira sa dignité.

— J'ai laissé ma voiture sur le parking, expliqua-t-il en sortant. Cela nous évitera d'attendre un taxi.

Elle hocha la tête, pénétrée par l'atmosphère incomparable de son pays, qui la saisissait chaque fois qu'elle arrivait par avion. Dès l'aéroport, elle sentait cette odeur spéciale, cette douceur de l'air qui lui rappelait aussitôt qu'elle se trouvait chez elle. Mais, pour une fois, elle n'en frémissait pas de bonheur.

Tremblant d'appréhension, elle s'appuyait au bras de Jim qui lui jetait de furtifs coups d'œil.

Il s'arrêta devant une Camaro bleu métallisé

dont il ouvrit le coffre pour y placer leurs bagages, avant de se tourner vers Rachel qu'il prit dans ses bras.

— Ça va ?

Elle répondit d'une voix étouffée :

— Je crois.

Mais ses yeux disaient tout le contraire. Pourtant leurs corps n'avaient jamais été aussi proches l'un de l'autre et Rachel ne pouvait nier le plaisir qu'elle en éprouvait. Elle se sentait en sécurité, comme elle ne l'avait jamais été, grâce à ce simple contact physique.

Cachant son visage dans la chevelure blonde, il la pressa contre lui. Il aimait la façon qu'elle avait de l'enlacer, de coller son oreille contre son cœur, de l'embrasser avec ce mélange de timidité et d'ardeur qui la rendait si attachante. Il désirait demeurer auprès d'elle, pour la soutenir si elle en éprouvait le besoin.

Intuitivement, il savait qu'il n'y aurait pas de coquetteries entre eux, pas de jeux de stratégie. Son quarantième anniversaire pointait à l'horizon et il ne se sentait plus l'âge de ces divertissements. Et puis... il avait trop besoin d'elle, il avait tant besoin d'elle ! En soupirant, il l'étreignit une dernière fois puis la repoussa doucement.

— Venez, ma chérie. Allons-y.

Il l'aida à pénétrer dans la voiture, laissa un instant sa main reposer sur son épaule, puis gagna sa place derrière le volant.

— Jim ?

En tournant la clef de contact, il la regarda.
— Merci, dit-elle.
— Merci ?
— D'être ici.
Il se pencha, l'embrassa.
— Pour rien au monde, je n'aurais voulu être ailleurs.
Il poussa un soupir.
— Rachel...
Comme il ne poursuivait pas, elle leva les sourcils.
— Oui ?
— J'ai un aveu à vous faire.
Son ton solennel décontenança la jeune femme. Son beau rêve n'allait-il pas soudain s'envoler en fumée ?
— Un aveu ?
Il hocha lentement la tête et finit par soutenir son regard.
— Ma décision de venir à Chicago... ce n'était pas seulement pour votre père.
— Non ?
Elle se sentait de moins en moins rassurée.
— Non. C'était aussi pour moi.
Il avait envie de lui prendre les mains mais s'en abstint. Il était plus important qu'elle sût, avant de le découvrir d'elle-même.
— J'avais vu votre photo sur le bureau de Tom et, depuis lors, je n'ai jamais pu l'oublier. C'est aussi un peu pour cela que j'ai voulu venir vous chercher. Mais maintenant...

Il regardait droit devant lui, comme fasciné par le parking.

— ... maintenant, je le regrette presque.

— Pourquoi ?

Elle s'était étonnée, malgré elle, d'une voix mal assurée.

— Parce que votre photo n'était rien à côté de la réalité. Vous êtes, en plus, si différente de moi, si cultivée, si raffinée. Et puis vous vivez une épreuve pénible. Ce... ce dont je ne voudrais pas profiter.

Il avait achevé sa phrase entre ses dents, mais poursuivit d'une voix plus véhémente.

— Je serai là, Rachel. Chaque fois que vous aurez besoin de moi et un peu plus peut-être. Je n'y peux rien, j'aurais préféré vous rencontrer en d'autres circonstances, mais sachez que mes sentiments n'en auraient pas varié pour autant. Traitez-moi d'opportuniste si vous le désirez, je ne vous contredirai pas.

Etonnée par cette franchise, elle se contenta de sourire.

— Vous savez, dit-elle d'une voix adoucie, la situation change selon la façon dont on la regarde, car moi aussi, je compte bien profiter de votre présence !

Il eut un petit rire sarcastique.

— Ma chérie, vous pouvez faire de moi ce que vous voulez !

Il lui tendit la main.

— Vous vous en souviendrez ?

— Oui ! Allons-y, maintenant, Jim.

Il démarra sans autre commentaire et, tandis qu'ils s'éloignaient de l'aéroport, Jim se demanda si elle se contenterait de se servir de lui, comme il le lui avait proposé, ou si elle saurait lui offrir ce dont il rêvait.

Chapitre 4

Elle sentit son cœur battre à tout rompre quand elle s'appuya contre la vitre qui la séparait de la salle de réanimation où reposait son père. Les yeux clos, relié par de minces fils à d'impressionnantes machines, il paraissait calme.

Elle entendit un gémissement qui semblait venir de nulle part ; elle comprit qu'il émanait de sa propre gorge lorsque la main réconfortante de Jim se posa sur son épaule.

— Il dort, Rachel. Ils lui ont administré des calmants.

Elle n'avait pas besoin de demander pourquoi. Son père n'avait jamais pu tenir en place.

— Je ne le connaissais pas si... immobile. On dirait un lion blessé.

L'image s'imposait d'elle-même : avec sa crinière argentée, sa large carrure, ses traits fortement dessinés, Tom Busek gardait une puissance royale.

— Pourquoi n'entrez-vous pas ?

Elle eut un geste vague, un peu fébrile.

— Oh ! Je ne sais pas... je ne devrais peut-être pas... le déranger.

— Allons donc ! Il est constamment réveillé par les infirmières et les médecins et vous êtes beaucoup plus agréable à voir qu'eux. Cela lui fera du bien !

D'un pas hésitant, elle se dirigea vers l'entrée de la salle.

— Je vous attendrai à côté, reprit-il. J'ai quelques coups de téléphone à donner.

Elle restait sur place, les jambes flageolantes.

— Allez-y, ma chérie ! Il sera heureux de vous savoir ici !

Elle entrebâilla la porte, se glissa par l'étroite ouverture et marcha sur la pointe des pieds jusqu'au lit. Aucun autre bruit que celui des machines ne parvenait à ses oreilles, si ce n'était la respiration un peu sourde de son père.

— Papa ? murmura-t-elle.

Comme il ne réagissait pas, elle s'enhardit à parler plus fort.

— Papa ?

Doucement, comme s'il émergeait d'un rêve, Tom Busek ouvrit les yeux. Ceux de Rachel étaient agrandis par l'appréhension et elle attendit un signe de reconnaissance sur le visage blême. Le regard tout à coup redevenu vif, il souffla :

— Alors il a fini par y aller ?

Une ébauche de sourire se dessina sur son visage. Il n'avait pas cette voix ferme qu'elle lui connaissait habituellement mais son esprit n'avait rien perdu de son acuité.

— Le vaurien ! J'en étais sûr ! Et vous, jeune fille, ne faites pas cette tête d'enterrement ! Souriez à votre père !

Elle fit mieux et se pencha sur lui pour l'embrasser. Quand elle se redressa, elle rayonnait, soulagée. Elle retrouvait ce père qu'elle adorait et qui allait bientôt se remettre, elle en était sûre.

— J'étais si inquiète. Quand une telle distance nous séparait, je pouvais imaginer n'importe quoi...

— C'est bien pourquoi je ne voulais pas te téléphoner.

— Mais il fallait le faire ! Tu vois bien, je n'ai mis que quelques heures à venir et constater que tu t'en sortirais. Comment te sens-tu ?

— Pas trop mal. Et ce concert, hier soir ?

Elle savait qu'il changeait de sujet à dessein. Malgré son apparence calme, elle avait perçu une pointe de nervosité dans sa voix.

— Très bien. Le public nous a bien accueillis.

Elle eut un sourire malicieux.

— Quant à la réception qui a suivi... j'y ai rencontré un beau garçon qui m'a sauvée au moment exact où j'allais m'endormir debout !

— Jimbo. Le brave petit !

— Jimbo ?

— Tout le monde l'appelle ainsi au bureau. C'est quelqu'un de bien, Rachel, tu sais.

— Si tu le dis... mais parle-moi de toi. Souffres-tu ?

— Non. Mais je m'ennuie. Il faut que je retourne travailler.

— Pas avant que les médecins ne t'en donnent l'autorisation. Et ne me parle pas du projet. Je sais qu'il a presque abouti.

Elle hocha la tête, et ajouta sur un ton de reproche à peine voilé :

— Je sais aussi quelles difficultés tu rencontres à ce sujet.

Tom tressaillit.

— Jimbo m'a trahi !

— Il a fort bien fait ! Tu ne dois pas garder tes soucis pour toi tout seul. Vois où cela t'a mené !

— Tu tiens vraiment à ce que je partage avec toi tous mes soucis ?

— Oui.

— Alors j'en ai un autre. Toi.

— Moi ? Je te donne du souci ?

— A vingt-neuf ans tu es encore célibataire.

— Et alors ?

— Alors je pense qu'il est grand temps de t'en préoccuper.

— Ecoute, j'ai une maison que j'aime et un métier merveilleux.

— Et pas de mari.

— Moi qui te croyais assommé par les sédatifs !

— Tu sais, je dois t'avouer que je serais rassuré si je savais que quelqu'un veille sur toi.

Cette dernière phrase la heurta de plein fouet, mais elle s'efforça de ne rien en laisser paraître.

— Ne t'inquiète pas, papa, je me suffis très bien à moi-même. Et j'ai sept adorables partenaires qui veillent sur moi.

— Ce n'est pas ce dont je te parle, tu le sais bien. Tu mérites un homme qui te chérisse. Tu devrais avoir des enfants. Je ne sais ce que je serais devenu toutes ces années si je ne t'avais pas eue.

— Tu te serais remarié.

Il secoua tristement la tête.

— Non. J'ai trop aimé ta mère pour songer à vivre avec aucune autre femme.

Il paraissait soudain oppressé et elle voulut lui dire de ne pas s'agiter mais préféra se taire, par respect.

— J'aimerais que tu vives un tel amour, Rachel. Dis-moi que tu vas t'en préoccuper.

Il avait mis une telle passion dans cette demande qu'elle en resta pétrifiée. Elle savait ce qui se cache derrière la douleur d'un homme qui a perdu son amour à la naissance d'une enfant. Elle l'avait entendu crier sa détresse dans ses rêves et se demandait soudain combien d'heures de sa vie il avait passées à tenter d'oublier ce drame, dont elle ne savait finalement presque rien.

— Si tu ne te détends pas, papa, coupa-t-elle nerveusement, tu vas faire sauter ces machines.

Il obtempéra avec une docilité qu'elle ne lui connaissait pas.

— Attends, attends, murmura-t-il, je n'ai pas encore fini.

Son expression s'adoucit et il sourit, comme si elle venait d'entrer dans la salle.

— Je suis heureux de te voir, ma Rachel. Tu es restée si longtemps absente. Tu m'as l'air en excellente forme. La tournée se passe bien ?

Elle comprit sa fatigue et s'empressa de répondre à sa question pour alléger l'atmosphère. Comme à son habitude, il s'enthousiasma sur l'ensemble Montague et, l'espace de quelques instants, elle retrouva la chaleur de leur intimité, quand ils bavardaient le soir au coin du feu, ou le matin au petit déjeuner.

Une infirmière vint interrompre l'évocation de ces souvenirs et ramena à l'esprit de Rachel sa difficile mission. Il lui fallait tout d'abord parler avec les médecins.

Elle se leva, embrassa la joue si familière.

— Je file maintenant et je te laisse te reposer. Je reviendrai bientôt, d'accord ? Si tu as besoin de quelque chose, dis-le-moi.

— Un bon cigare.

— N'y compte pas... Rien d'autre ?

— Toi.

Il sourit.

— Et Jim, où est-il ?

Elle désigna le corridor du menton.

— Dehors. Il téléphone. Ne t'inquiète pas. Il m'a déjà promis de ne pas me lâcher d'une semelle !

— C'est quelqu'un de bien, ce petit Guthrie.

Elle fit un petit geste de la main en guise d'au revoir et tourna les talons.

Sortie de l'atmosphère pesante de la salle de réanimation, elle se dirigeait vers les cabines téléphoniques, quand elle décida de s'arrêter au bureau des infirmières. Elle prit un rendez-vous avec le médecin qui s'occupait de son père. Puis elle reprit son chemin le long d'interminables couloirs nus et vides. De loin elle aperçut Jim, en train de téléphoner et beaucoup trop occupé à prendre des notes pour remarquer qu'elle se dirigeait vers lui.

Elle remarqua que ses cheveux étaient assez longs pour dépasser du col de sa chemise ; elle vit les muscles de son avant-bras remuer au rythme de son stylo. Il avait croisé ses longues jambes de telle façon qu'on l'aurait cru assis sur un tabouret imaginaire. Soudain, sentant peut-être sa présence, il leva les yeux.

A ce moment précis, elle fut frappée par l'idée que, la veille encore, elle ignorait l'existence de cet homme. Comme elle avait vite accepté son aide ! Pourtant, elle n'avait jamais connu une véritable solitude. En dehors de son père, il y avait eu Allen Cheswyk à l'université, Dyson Friedrich au conservatoire, Ron Lynch et les membres de l'ensemble Montague, mais cela ne l'avait jamais empêchée de se débrouiller seule, de faire des choix seule, pendant toutes ces années. Elle seule avait décidé de devenir une flûtiste professionnelle, d'accepter de poursuivre ses études à New York, de se joindre à l'ensemble Montague. Tout comme elle avait décidé de rentrer à la maison ce matin-même.

Cependant, Jim savait susciter en elle une profonde émotion chaque fois qu'il la regardait, chaque fois qu'elle pensait à lui. Aucun autre homme n'avait eu ce pouvoir. Et cette idée la troublait infiniment.

Quand il eut raccroché et qu'il se redressa pour venir à sa rencontre, elle se dit qu'il avait surtout le don de l'attendrir.

Il glissa le bras autour de son épaule et elle se serra contre lui. Il la contempla comme s'il cherchait à lire dans ses yeux la réponse qu'il attendait.

— Vous aviez raison, dit-elle. Je me faisais des idées ! Je dramatisais. Mais je n'ai pas encore parlé avec le chirurgien. Je dois le voir cet après-midi.

— Voulez-vous que je vous ramène chez vous ?

Elle s'éclaircit la gorge.

— Non, merci. Je crois que je vais rester ici, près de mon père.

— Dans ce cas, je propose que nous retournions le voir ensemble cinq minutes, le temps que je lui dise bonjour, puis nous sortirons déjeuner et reviendrons ensuite. D'accord ?

Elle sourit.

— D'accord. Mais... n'avez-vous pas de travail de votre côté ?

Il secoua la tête.

— Pas pour l'instant. Il semble que rien ne bouge nulle part.

— Mais ça viendra ?

— Plus tard, je l'espère.

— Je m'en veux de vous retenir ainsi.

— Ne vous en faites pas.

Il lui effleura les cheveux d'un baiser.

— Si je n'avais pas envie de rester, je m'en irais. Je sais bien que vous êtes tout à fait capable de régler seule vos difficultés actuelles.

Il eut un petit sourire.

— Et puis on ne sait jamais... Si vous aviez besoin de moi, à tout hasard... Il est toujours bon de se sentir utile.

— Mais vous êtes utile à des milliers de gens dans votre travail.

— Ce n'est pas la même chose et vous le savez bien.

Elle le comprenait parfaitement et ces mots lui rappelaient étrangement ceux de son père quelques minutes auparavant. Etait-elle donc la seule à se trouver apte à se prendre en main ?

— Bien, déclara-t-elle tranquillement. Je suis heureuse que vous soyez ici. Et, si vous promettez de vous en aller dès que vous aurez du travail, je vous autorise à me tenir compagnie.

— Vous m'y autorisez ?

— Tout à fait.

— Vous vous entendez bien avec mon père, n'est-ce pas ?

Elle avait pris le bras de Jim aussi naturellement que s'ils se connaissaient depuis des années et ils sortirent de l'hôpital dans l'air embaumé de cette fin de matinée ensoleillée.

— Cela m'est facile ; j'éprouve tant de sympathie pour lui.

— Vos parents vous ressemblent ? Sont-ils aussi spontanés ? demanda-t-elle impulsivement.

— Mes parents ?

Il regardait le sol devant lui, songeur.

— Je ne sais pas. Je ne les ai connus qu'enfant. Ma mère est morte quand j'avais seize ans et mon père...

Elle leva les yeux sur lui. Il paraissait très loin, très triste.

— Mon père l'a suivie, un mois avant mon retour du Viêt-nam. Je n'ai jamais beaucoup parlé avec lui quand j'étais petit. J'étais très turbulent et il me grondait sans arrêt. Ce n'est que bien plus tard, quand j'ai côtoyé la vraie souffrance, quand j'ai appris l'importance de l'autodiscipline, que j'ai eu envie de rentrer le voir.

Comme s'il sortait soudain de son évocation, il poussa un bref soupir, se tourna vers elle.

— Il était malheureusement trop tard.

— Je suis désolée, Jim.

Elle était sincère. En voyant avec quelle affection il traitait Tom, elle imaginait ce qu'il avait pu ressentir. Rentrer trop tard : une expérience sans doute accablante pour lui. Elle comprenait mieux pourquoi il avait toujours de bons conseils à lui donner sur la conduite à tenir avec son père. Elle comprenait aussi à quel point il pouvait avoir besoin d'une vie de famille.

— Avez-vous des frères et sœurs ?

— Oh oui ! Cinq sœurs et trois frères.

— Vous plaisantez ?

— Non, madame !

— Vous étiez neuf ?

Elle ne parvenait pas à imaginer cela, elle, l'enfant unique.

— C'est extraordinaire !... Racontez-moi !
Ses yeux en brillaient de curiosité.
Jim ne put résister à cette soudaine vivacité. Elle était si jolie avec ce regard pétillant, ces joues rosies.
— C'était...
Il fit mine de réfléchir.
— ... pour le moins animé. Il se passait toujours quelque chose ! Et, bruyant ! Il n'y avait pas de son de flûte mais plutôt... une symphonie de voix. Détonnantes.
Elle sourit.
— Ne vous moquez pas de moi !
— Pas du tout. Je vous décris la réalité.
Il reprit son sérieux.
— Si vous préférez, je dirais que ce fut une merveilleuse expérience d'amour et de partage. Mais ce serait mentir. Je n'ai jamais vu mon enfance sous cet angle. Je me sentais insignifiant au milieu d'une si grande famille et cela me mettait hors de moi.
— Etiez-vous parmi les aînés ?
— Non, parmi les plus jeunes. Et le dernier garçon. Mon frère aîné avait près de seize ans quand je suis né et ma sœur la plus âgée, quatorze ans. Ce sont eux qui m'ont élevé plutôt que mes parents. Et j'étais trop petit pour me rendre compte que mon père avait deux emplois en même temps pour parvenir à nous nourrir.
Il secoua la tête avec amertume.
— Quand je pense aux tourments que j'ai causés à mes parents, j'en meurs de honte.

Il avait déjà fait allusion à des difficultés rencontrées dans son enfance mais elle n'y avait pas trop prêté attention. Cette fois, elle dressa l'oreille.

— Que s'est-il passé ?

— Je faisais l'école buissonnière, je volais aux étalages, je traînais dans les rues.

Il ne s'en vantait pas mais, au contraire, paraissait se punir à mesure qu'il parlait.

— J'ai été renvoyé de plus d'écoles que je ne pourrais en compter. Je refusais toute forme d'autorité, comme si c'était ma réponse au peu d'attentions de mes pauvres parents qui avaient bien autre chose à faire. Je me demande encore par quel miracle j'ai pu entrer à l'université.

Il eut un rictus ironique.

— J'imagine qu'on m'a donné mon diplôme pour se débarrasser plus vite de moi.

Ils avisèrent un banc devant un buisson et Jim laissa Rachel s'asseoir la première.

— Qu'avez-vous fait ensuite ?

— Pas grand-chose... sinon commencer par me heurter à la société. Un beau jour, mon père m'a informé que je devrais désormais subvenir à mes besoins. J'ai cherché du travail. Vous imaginez bien que je ne pouvais rien trouver d'intéressant, et c'est alors que je me suis engagé. Ce fut la décision la plus intelligente de ma vie.

— Dans quelle arme ?

— Les Marines. Je ne vais pas vous raconter mes histoires de guerre mais, croyez-moi, je n'ai plus tardé à devenir adulte.

— A quel moment avez-vous quitté l'armée ?

— J'ai profité des avantages accordés aux anciens combattants pour reprendre l'université.

Une tristesse fugitive traversa ses yeux d'ambre.

— Mon père en aurait été heureux.

— Mais ce n'est pas pour lui que vous l'avez fait, dit-elle doucement.

— Non. Je voulais devenir quelqu'un. Je n'avais pas l'intention de traverser la vie en mendiant du travail à droite et à gauche. Finalement, j'avais compris les difficultés de mes parents. Ils n'avaient pas beaucoup d'instruction mais rêvaient d'un avenir meilleur pour leurs enfants.

— Et vos frères et sœurs, que sont-ils devenus ?

— Ils se sont débrouillés. Un banquier. Un avocat. Un vétérinaire. Deux infirmières, deux mères de famille...

Il parut hésiter.

Rachel avait compté sept personnes.

— Et ?...

— Et un frère en prison.

— En prison ?

— Hélas, oui. Moi, je m'étais sorti sans trop de mal du monde dangereux que nous côtoyions. Ça n'a pas été le cas, malheureusement, du frère qui me précédait.

— Qu'a-t-il fait ?

— Tentative de corruption d'un haut fonctionnaire, trafic d'assurances... Il avait vite compris ce que pouvaient rapporter des assurances-vie fictives et n'a été découvert qu'au bout de plusieurs années.

— Mais pourquoi ?

— D'abord parce qu'il avait besoin d'argent. Il voulait envoyer ses enfants dans les meilleures écoles privées, et acheter une résidence secondaire.

— Et ce qu'il avait ne lui suffisait donc pas ?

— Il faut croire que non. De plus, il fréquentait des milieux peu recommandables. En fait, il se savait sur un volcan prêt à exploser tous les jours. Comme nous tous, il s'était battu pour s'en sortir, mais lui s'y est mal pris.

— Mon Dieu, Jim ! C'est affreux !

— Pour sa femme et ses trois enfants, oui. Nous nous efforçons de leur venir en aide mais le fait reste qu'ils ont à jamais une vie déséquilibrée.

Il se tut, les yeux fixés sur ses chaussures.

— J'espère que je ne vous ai pas ennuyé en vous posant toutes ces questions !

— Un peu, si. J'aurais préféré pouvoir vous dire que mon frère sortait de Princeton.

— Pensez-vous que cela revête une telle importance à mes yeux ?

Il haussa les épaules.

— Pour bien des femmes, ce serait le cas.

— Pas pour moi. Et puis, tous ces titres universitaires n'ont plus la même valeur qu'il y a vingt ans... Vous ne m'avez toujours pas dit comment vous en étiez venu à ouvrir une agence de détectives privés.

Il la dévisagea, quelque peu surpris. Elle ne paraissait pas le moins du monde troublée par ce qu'il venait de lui raconter au sujet de son frère. C'était une histoire qu'il gardait en général pour lui. Et elle était parvenue à l'en faire parler. Elle savait si bien inspirer confiance, avec son air de totale innocence.

C'était un bijou, aux yeux d'acajou sombre, aux cheveux de lin, au visage d'ange et au cœur d'or. Il vint lentement embrasser ses lèvres et elle retint son souffle sous la tendre caresse. Seule la cloche de la cathédrale, toute proche, les tira de leur extase.

— Je crois que nous devrions rentrer, dit-il en lui prenant la main.

Il serait toujours temps de parler de son métier.

— Allons déjeuner, puis nous remonterons voir votre père.

Elle le suivit sans mot dire. Elle se demandait s'il avait jamais été amoureux, si seulement il avait eu l'occasion d'y songer. Il avait bien parlé de sa solitude, de relations plus rassurantes que celles qu'il avait connues par le passé. Mais l'amour, c'était autre chose, beaucoup plus dangereux. Son père avait passé des années de sa vie à souffrir d'un amour mort, d'une façon ou d'une autre. Rachel se dit soudain qu'elle-même avait sans doute cherché à se protéger d'un tel malheur en se réfugiant dans la musique ; ou alors n'avait-elle jamais rencontré d'homme capable de lui inspirer un sentiment profond ?

Le Dr Balkan lui avait expliqué que l'avenir de son père ne dépendait que de lui. Il ne serait pas tiré d'affaire en se contentant de quelques jours de repos. A elle de le convaincre de se faire opérer.

Et elle n'avait pas encore eu le courage de lui en parler. Elle avait maintenant l'impression qu'une éternité s'était écoulée depuis qu'un coup de téléphone l'avait réveillée dans son hôtel de Chicago. Elle se sentait épuisée, surtout depuis le départ de Jim qu'elle avait incité à se rendre tout de même à son bureau. Ensuite, elle était demeurée tranquillement au chevet de son père, à regarder la télévision avec lui, à répondre au téléphone, à lui faire la conversation.

Il venait de s'assoupir et elle pensait qu'il ne se réveillerait plus avant le lendemain matin. Elle se demandait ce que serait sa vie, à l'avenir.

— Bonsoir, ma chérie !

La voix familière la tira de sa rêverie. Elle vit Jim entrer sur la pointe des pieds et en conçut aussitôt une violente émotion.

— Vous avez l'air fatigué.

Il lui tendit les bras pour l'aider à se lever.

— Un peu, reconnut-elle.

— Venez, je vous reconduis chez vous.

Tout au long du trajet, elle garda la tête appuyée au dossier de son siège, les yeux mi-clos. Il la regardait souvent, vaguement inquiet, jusqu'au moment où il se rendit compte qu'elle s'était endormie. Il eut un moment la tentation de continuer à rouler pour ne pas la déranger. Mais où aller ? En réalité, elle avait plutôt besoin de la quiétude de sa maison et du confort de son lit.

En arrivant aux Pins, il ralentit et s'arrêta devant le porche. Il sortit, contourna le capot et ouvrit la portière aussi doucement qu'il le put, glissa un bras sous ses genoux, l'autre derrière son dos et la souleva sans peine jusque sur le seuil où il sonna.

Mme Francis apparut immédiatement et porta la main à sa bouche en croyant la jeune femme blessée. Jim la rassura d'un clin d'œil.

— Elle dort, chuchota-t-il. Pouvez-vous me mener à sa chambre ?

Elle les conduisit au premier étage, dans une pièce qu'elle avait toujours entretenue avec soin. Il déposa Rachel sur le dessus-de-lit bleu pâle.

— Voulez-vous la déshabiller ? demanda-t-il. Je remonte avec un verre de lait.

Quand il revint, la jeune femme reposait dans une chemise de soie champagne, si légère, si aérienne qu'elle avait tout d'un ange. C'était bien un ange qu'il avait rencontré à Chicago. Chicago... C'était hier ! Et pourtant, il avait l'impression de la connaître depuis des années.

Mme Francis acheva de replier les vêtements puis se dirigea vers la porte.

— Bonsoir, murmura-t-elle simplement.

Il la regarda fermer derrière elle. Il demeurait assis au bord du lit, fasciné par la gracieuse silhouette endormie. Si seulement il pouvait existter un quelconque avenir pour eux deux ! Mais qu'avait-il à lui offrir qu'elle ne possédait déjà, si ce n'était son amour ?

Comme un somnambule, il éteignit la lampe de chevet, ôta ses chaussures, déboutonna sa chemise et s'allongea sur le dessus-de-lit, à côté d'elle. Il s'en irait plus tard, quand il aurait la certitude qu'elle ne se réveillerait pas avant le lendemain.

Chapitre 5

Les pâles lueurs de l'aube qui traversaient les branches de chêne effleurèrent les paupières closes de Rachel. Elle s'éveilla, contempla avec plaisir les arbres qui apparaissaient à sa fenêtre, se demandant dans quelle ville inconnue elle se trouvait.

La tête lui tourna soudain. Elle était à la maison ! Elle ne se rappelait rien de son arrivée, si ce n'était la voiture de Jim...

Elle tourna brusquement la tête, découvrant en même temps qu'elle l'avait sentie la présence de l'homme à ses côtés. Il dormait tout habillé sur le dessus-de-lit. Elle étouffa un cri mais son mouvement de surprise l'avait alerté.

Il commençait à s'étirer quand ses mouvements se figèrent.

Elle retenait son souffle en le voyant passer de la stupéfaction à la confusion.

— Rachel !

Il se redressa aussitôt.

— Seigneur ! Je ne voulais pas rester toute la nuit ici ! Seulement m'assurer que vous dormiez !

Un rayon de soleil venait de pénétrer dans la chambre. Jim regarda sa montre.

— Il est sept heures ! Je suis navré !

Il se leva tandis que la jeune femme examinait sa chemise de nuit, abasourdie.

— Quand me suis-je... mes vêtements ?

Elle rougit.

— Je ne me souviens de rien !

— Rassurez-vous, dit-il en souriant, Mme Francis s'est occupée de vous.

Elle rit doucement, plus que rassurée, émue de la délicatesse dont il avait fait preuve, du respect qu'il avait eu de son sommeil.

Il se pencha sur elle, vint murmurer au bord de ses lèvres :

— Comme vous êtes jolie !

Il l'effleura d'un baiser.

— Dites-moi que vous ne disparaîtrez jamais.

D'un geste timide, elle lui caressait la joue, comme si elle découvrait avec plaisir qu'il n'était pas encore rasé.

— Comment le pourrais-je ? C'est vous, le détective !

Cette fois, il l'embrassa plus franchement, et elle frissonna de tout son être.

— Mais vous n'essaierez même pas, j'espère ?

Elle n'en avait nulle envie quand tant de désirs inexprimables couvaient sous sa peau. Elle avait l'impression que quelque chose de nouveau allait exploser en elle, que son sang bouillonnait, électrisant ses nerfs. Elle éprouva un irrésistible besoin de lui caresser la joue, le visage, la mâchoire rêche qui râpait la paume de la main. Elle tendit le bras, assouvissant aussitôt son élan.

Jamais elle n'avait connu tant de fièvre et, incapable de se contrôler, elle se laissait aller à l'ivresse que lui procurait la présence de cet homme si proche, cet inconnu si familier, si précieux.

— Non, Jim, je n'essaierai même pas de disparaître.

En même temps, elle espérait qu'il saurait la guider. Elle s'était juré de ne jamais recommencer, de ne plus jamais avoir à affronter la terrible fatalité de l'amour. Mais avec Jim, elle oubliait tous ses serments. Il paraissait si fort, si tendre. Si elle n'essayait pas, elle se demanderait toujours...

Elle le sentit qui tremblait en l'enlaçant et, tout d'un coup, éprouva une indicible terreur de se retrouver enfermée, piégée dans un processus qu'elle ne pourrait pas réfréner. Mais les mains douces qui parcouraient son dos savaient l'apaiser et elle s'abandonna peu à peu au délice de ces instants, qu'elle savait uniques.

Délicatement, il fit glisser la chemise de soie le long de son corps. Rachel poussa un petit cri et se serra contre lui, comme pour cacher sa nudité, mais aussi pour mieux sentir contre le sien ce corps ferme qui allait lui appartenir.

Sans vraiment réfléchir à ce qu'elle faisait, elle se mit à lui mordiller l'oreille, humant avec bonheur l'odeur de ses cheveux.

Elle n'avait rien vécu de semblable avec Peter et, si elle avait été plus expérimentée à l'époque, elle aurait sans doute pressenti une situation embarrassante. Mais comme elle avait consacré sa jeunesse à étudier la flûte, elle ne connaissait pas les règles du jeu dans lequel l'avait entraînée Peter, dès son arrivée dans l'ensemble Montague. Il s'était montré si gentil pour elle, la prenant sous son aile, prêt à tout lui expliquer patiemment. Ses baisers étaient tendres et paisibles, comme la vie l'avait toujours été pour elle. Elle se croyait amoureuse... Alors ils avaient essayé. Et échoué.

Avec Jim, les choses étaient bien différentes. Il y avait eu cette étincelle qu'elle n'avait jamais connue avec Peter, la lente montée du désir qu'elle n'avait jamais éprouvée, et maintenant cette explosion de sensations inconnues, ce magnétisme qui attirait son corps contre celui de Jim. Oui, tout était différent, comme le jour et la nuit. Et elle aimait cela.

Avec une avidité qui l'étonna elle-même, elle s'empara de sa bouche pour lui communiquer le feu qui la brûlait. Jusqu'ici, ils s'étaient embrassés tendrement ; de tels baisers reviendraient sans doute mais, pour l'heure, c'était leur passion qui dominait, emportant toute raison.

Soudain, elle s'aperçut qu'une chaleur plus intense lui brûlait la poitrine et comprit qu'elle venait de la main de Jim. Elle poussa un gémissement sourd et se cambra sous le baiser qui enflammait son cou. Ils retombèrent ensemble sur les draps tièdes où ils avaient dormi innocemment toute la nuit.

Maintenant, au contraire, il la caressait et l'embrassait avec ardeur.

— Rachel ! cria-t-il soudain.

Ce n'était pas un cri de plaisir, mais plutôt d'alarme, comme s'il venait de découvrir quelque chose.

Il se redressa soudain.

— Mon Dieu, Rachel ! Je ne peux pas faire cela !

Elle le regardait, les yeux agrandis par la surprise puis par l'angoisse. La même histoire n'allait pas lui arriver de nouveau ! Pas avec lui.

En le voyant rajuster ses vêtements, elle comprit qu'il ne s'agissait en rien d'un incident physiologique. Elle se redressa, terrifiée.

— Jim...

Elle avait murmuré faiblement son nom, comme si, déjà, elle savait qu'elle ne pouvait plus rien attendre de lui.

Il avait la main sur la poignée de la porte quand il se tourna vers elle.

— Pardonnez-moi. J'ai perdu la tête. Je... je ne comprends pas ce qui m'a pris.

Il se passa la main dans les cheveux.

— J'aurais dû m'en douter !

Il avait marmonné ces derniers mots comme pour lui-même. Sans un autre regard, il tourna les talons et sortit.

Pétrifiée, Rachel demeura longuement les yeux fixés sur la porte qui s'était refermée. Elle tremblait de tous ses membres, mais c'était de froid, maintenant, un froid glacial qui l'avait envahie et la faisait claquer des dents.

Elle posa son menton sur ses genoux, secouant la tête comme s'il était possible d'effacer de sa mémoire ce qui venait de se passer. Pourtant le présent était là, terrible, plus intense que tout ce qui avait pu lui arriver auparavant. Pour la première fois depuis qu'elle avait croisé le regard de Jim Guthrie, elle se sentait complètement seule.

Ce n'était pas une sensation nouvelle pour elle et pourtant, après ces trente-six heures exceptionnelles, la blessure ne s'en faisait que plus cruellement sentir. Trente-six heures... Seulement ! Jim était entré dans sa vie avec l'aisance de celui qui se sait attendu depuis longtemps. Il l'avait emmenée, protégée...

Que s'était-il passé ensuite ? Elle l'ignorait. Elle se glissa sous les draps, avide de réfléchir, d'essayer de comprendre... Elle avait cru répondre à la séduction de Jim comme une femme expérimentée ; ce qu'elle n'était pas. Quelque part, elle avait dû commettre une erreur. Elle se doutait bien qu'elle ne ferait pas longtemps illusion : d'abord avec Peter, maintenant avec Jim... Son manque d'expérience était-il donc si criant ?

Mais enfin, pourquoi l'avait-il ainsi abandonnée ? se demanda-t-elle dans un sursaut de révolte. Elle le désirait, elle avait besoin de lui, et il s'en allait. Avait-il le droit de la mettre dans une telle situation ? Avait-il le droit de lui refuser ce qui lui avait toujours manqué dans son existence solitaire ? Comment avait-il osé gâcher un moment qui promettait pourtant d'être si beau ?

Elle regarda le soleil déjà haut dans le ciel ; le monde avait fini par se réveiller. Elle avait froid et n'éprouvait plus qu'une envie : creuser un trou dans le sol et s'y cacher à jamais.

Pourquoi avait-il fait cela ? Cette question ne cessait de lui tourner dans la tête comme une obsession qui l'embarrassait et l'irritait. Elle savait qu'il la désirait ; n'importe quelle débutante aurait été capable de s'en rendre compte. En fronçant les sourcils, elle entendit, à nouveau, les mots qu'il avait prononcés alors :

— Je ne peux pas faire cela.

Et puis :

— J'aurais dû m'en douter.

Que voulait-il dire par là ?

Elle se redressa soudain, rejeta ses draps et courut dans la salle de bains.

Pas un instant, elle n'avait pensé à son père, alors que c'était pour lui qu'elle avait effectué tout ce voyage. Il était malade, et elle s'en était remise entièrement à Jim depuis qu'elle avait appris cette pénible nouvelle.

Or, ce matin, ce n'était pas l'ami qu'elle avait vu, mais l'homme. Et jamais elle ne s'était sentie à ce point femme. C'était bien là ce qui la surprenait le plus. Jusqu'ici, elle avait plus ou moins cru que l'amour n'était pas pour elle, que la musique et son père occupaient toute sa vie. Pourquoi ne pas s'en tenir là, une bonne fois pour toutes ? sans doute avait-elle hérité des défauts de sa mère. Au plus profond d'elle-même, elle l'imaginait vivante mais incapable de la moindre manifestation d'amour maternel, ou simplement humain. Pourtant, son père l'avait aimée, et jusqu'à ce jour l'aimait encore. Ce qui prouvait, entre autres, que les hommes les plus brillants n'étaient pas forcément les plus avisés. Elle eut soudain peur que la même histoire ne se répétât avec Jim Guthrie. S'il était sage, il se tiendrait désormais à l'écart, mais elle doutait qu'il le fût.

Elle s'étira, s'efforça de respirer calmement. Il ne servait à rien de se tourmenter devant son miroir. Elle devait d'abord amener son père à accepter son opération, ce qui était beaucoup plus important qu'aucune pensée oiseuse. Ensuite, elle rencontrerait de nouveau le chirurgien pour le convaincre d'opérer au plus vite, puis attraperait l'avion du soir pour Indianapolis. Ron l'attendrait à l'aéroport... ce cher Ron, en qui elle avait toute confiance. Au moins, lui, n'avait-il pas cherché à la séduire. Une telle idée parut même parfaitement saugrenue à la jeune femme.

Pourtant, ce n'était pas Ron qui occupait ses pensées quand elle s'assit dans le petit restaurant à midi, mais Jim.

Elle tenta de se concentrer sur la situation de son père qui avait fini par accepter le principe de l'opération, après deux heures de discussions épuisantes. Elle avait dû promettre de ne pas manquer un seul concert au cours des trois semaines à venir, mais elle n'avait pas dit qu'elle avait l'intention de faire plusieurs passages à Raleigh entre chaque étape de la tournée.

Quatre jours avant l'opération. Ce soir et demain, elle jouerait à Indianapolis ; ensuite à Saint Louis, avant de revenir dimanche voir son père. Ron s'occuperait des réservations.

Pour l'instant, elle ne pouvait rien faire de plus. Elle mangea sa salade sans conviction ; Jim la tourmentait. Elle ne l'avait pas vu depuis qu'il avait quitté sa chambre. A tout instant elle s'attendait à le voir apparaître. Seule devant son café, sans autre chose à faire que prendre un taxi pour se rendre à l'aéroport, elle sut qu'il lui manquait terriblement.

Avec lui, les heures passaient vite, pleines et bien occupées. Maintenant, elle se sentait étrangement vide. Elle aurait dû lui en vouloir. Au lieu de la réconforter, comme il l'avait promis, il n'avait fait qu'accentuer sa détresse.

Si seulement elle avait pu lui en vouloir, les choses eussent été plus simples. En fait, elle n'avait de cesse de le revoir.

Perdue dans ses pensées, elle sursauta et releva brusquement la tête lorsque quelqu'un s'assit à ses côtés. Il était là, sorti de nulle part...

Elle crut que son cœur allait cesser de battre, avant de repartir, furieusement.

— Bonjour !

Il avait parlé si bas qu'elle l'entendit à peine. Désorientée, elle ne put que répondre sur le même ton :

— Bonjour !

— Je... ne vous dérange pas ?

— Vous êtes déjà assis.

— Je peux...

— Restez.

Elle n'avait pas hésité, cette fois.

— Comment s'est passée la matinée ? demanda-t-il.

— Vous saviez que je reviendrais dans ce restaurant ?

— C'est mon métier de deviner ce genre de choses.

Sa voix prit une intonation indéfinissable.

— Je saurai toujours vous retrouver.

Elle se rappela quand il lui avait déjà dit cela. Mais c'était lui qui avait disparu, pas elle.

Il dut comprendre à quoi elle pensait, mais ne fit aucun commentaire.

— Avez-vous pu parler avec Tom ?

— L'opération aura lieu lundi.

Il parut attendre d'autres explications, mais elle se tut. En sa présence, elle se rendait soudain compte que si quelqu'un devait se sentir hontcux en ce moment, ce n'était pas elle. Et elle n'avait aucune envie de lui faciliter la tâche.

— Alors, reprit Jim, il a donc fini par accepter ?

Elle hocha la tête.

— Il ne s'est pas trop fait prier ? reprit-il.

— Oh si ! Mais il avait surtout besoin d'être rassuré sur le bon fonctionnement de l'entreprise en son absence. Je lui ai rappelé qu'il avait tout un état-major parfaitement au courant de ses affaires et que, s'il s'obstinait, la S.C.T. risquait de devoir fonctionner à jamais sans lui.

— Evidemment...

— Et comme ces arguments ne paraissaient pas lui suffire, je lui ai rappelé qu'il était mon père, qu'il restait ma seule famille et qu'il n'était qu'un égoïste de penser à son entreprise quand j'avais tant besoin de lui. Même s'il ne voulait pas se soigner pour lui, il avait des responsabilités envers moi.

Elle paraissait étrangement calme et sûre d'elle.

— Et il a cédé ?

— Disons qu'il a accepté.

Elle ne dit cependant pas sous quelles conditions. Elle estimait que cela ne le regardait plus.

Il s'adossa à son siège, laissa échapper un soupir. Sa mission était accomplie. Un succès de plus à mettre à l'actif de Guthrie and Co. Mais... il avait tout perdu. Elle ne paraissait s'intéresser qu'au sucre qu'elle ajoutait à son café.

— Et maintenant ? demanda-t-il d'une voix sourde.

Elle lui jeta un regard aigu.

— Maintenant quoi ?

— Où allez-vous ? Votre avion pour Indianapolis ne décolle qu'en fin d'après-midi, je crois ?

La serveuse s'approchait et il lui demanda un café fort.

Rachel en profita pour changer de sujet.

— Que devient notre ami Renko ?

— Il vient de réserver des billets pour l'Europe.

— Cela a-t-il une signification particulière ?

— Peut-être. Il part avec sa femme en août. J'aimerais apprendre qu'il a, par exemple, fait un héritage.

— Vous continuez à le surveiller ?

— Oui.

Elle hocha la tête et le silence s'installa entre eux. Ce qui s'était passé le matin les troublait trop pour qu'ils puissent continuer longtemps ce badinage.

Le café de Jim arriva à point nommé pour détendre l'atmosphère.

Ils bavardèrent à nouveau sans grande conviction, puis Rachel se leva, paya son déjeuner et le café de Jim avant de se tourner vers lui, hésitante.

— Jim ?

— Oui ?

— Promettez-moi de vous occuper de mon père quand je serai partie. Je sais que vous continuez à travailler sur l'affaire, mais je voudrais aussi que... vous me remplaciez un peu auprès de lui.

Ce n'était pas ce qu'elle avait voulu dire, car elle eût préféré ne rien lui demander, mais la prière était quasiment venue d'elle-même, laissant Rachel un peu désemparée, comme dépassée par sa propre pensée. Mais, au moins, était-elle sûre de laisser son père en de bonnes mains.

— Je vous le promets, Rachel. Mais je l'aurais fait de toute façon. Et... merci de l'avoir convaincu pour cette opération.

— N'en profitez pas pour voler les plans pendant qu'il sera sous anesthésie, plaisanta-t-elle.

Elle capta un regard hautain qui se transforma en sourire ironique.

— Quel est ce sourire ? demanda-t-elle.

— Pour vous. Parce que...

Elle détourna les yeux. Cette phrase inachevée renforçait son malaise. Il y avait trop de choses qu'elle ne comprenait pas chez cet homme, trop de souffrances latentes qu'elle voulait éviter. Il était revenu à elle, ce qui la rassurait tout de même. Mais pourquoi l'avait-il fait ?

A l'aéroport, ils attendirent sagement l'annonce du départ pour Indianapolis, absorbés l'un et l'autre dans leurs propres réflexions. Ce n'est que lorsque la voix retentit dans le haut-parleur qu'il se passa quelque chose.

Jim regarda Rachel. Rachel le regarda. Leurs yeux reflétaient la même angoisse.

Elle se sentit défaillir. Toutes ses défenses semblaient soudain s'écrouler comme un château de cartes. Ses sentiments pour Jim revenaient en flots bouillonnants : sa présence, son étrange familiarité, l'attirance qu'il exerçait sur elle. Si seulement elle ne partait pas. Ils avaient tant à se dire ! Mais il leur faudrait attendre. L'avion décollait sous peu.

Elle s'humecta les lèvres soudain devenues sèches, cherchant comment lui dire au revoir, s'apprêtant à parler. Mais les mots se figèrent quand l'index de Jim, qu'il avait porté à sa bouche pour y prendre un baiser, se posa sur la sienne.

Elle ne put s'empêcher de répondre en embrassant le doigt posé sur sa bouche. Alors, saisissant la poignée de son sac, elle s'enfuit vers la porte d'embarquement. Elle ne regarda pas derrière elle, redoutant que le moindre de ses gestes ne la trahisse. Elle en avait déjà trop avoué avec cet adieu.

Rien n'avait changé. Les jambes flageolantes elle courut vers son avion. Le souvenir de ce désastreux matin ne la quittait pas. Peut-être, dans deux ou trois jours; saurait-elle s'expliquer tous ces événements.

Mais, le dimanche matin, en revenant de Saint Louis, Rachel n'était pas plus avancée. Et ce n'était pas faute d'avoir essayé de comprendre. En fait, pas un instant elle n'avait cessé de penser à Jim.

La tournée se poursuivait agréablement. Avec ses concerts qui mêlaient musiques classique et folklorique, l'ensemble Montague s'était attiré un public fidèle dans les universités.

Rachel se retrouvait alors dans son élément et son bonheur de jouer lui confirmait que rien ne pouvait compter plus, pour elle, que la musique, le plaisir partagé avec une foule attentive, la chaleur communicative de ces campus où régnait une atmosphère enthousiaste et bon enfant.

Pourtant, elle rentrait chaque soir seule dans sa chambre et se dépêchait alors de s'endormir pour ne pas trop avoir à réfléchir.

L'avion se posa et roula jusqu'au bout de la piste. Bloquée par les participants d'un voyage organisé, elle fut l'une des dernières à quitter la cabine. Avec pour tout bagage son sac en bandoulière, elle se dirigea aussitôt vers les taxis.

Elle n'avait pas atteint l'arrêt qu'elle distingua une longue silhouette noire venant à sa rencontre. Elle en ressentit comme un coup dans l'estomac.

— Pas un mot ! Suivez-moi sagement et tout se passera bien.

L'homme s'était déjà emparé de son bagage.

Le souffle coupé, elle tenta de distinguer l'expression de ce regard soigneusement masqué par des lunettes de soleil. Elle parvint enfin à émettre un :

— Mais...

— Pas de mais ! Vous avez quelques explications à nous donner.

Tremblant de tous ses membres, Rachel se laissa entraîner dans un coin isolé et, là, tout se passa très vite. Plaquée contre le mur, elle se vit l'embrasser avec une ferveur inattendue. Incapable de résister, elle entoura de ses bras le dos puissant, pour mieux savourer la douceur du baiser.

Elle ne retrouva son souffle qu'en posant son visage contre son épaule. Son odeur évoqua les petits matins de son enfance, quand flottaient dans l'air des senteurs de pelouse fraîchement tondue, de rosée, de pain grillé du petit déjeuner. Elle restait sur la pointe des pieds, les jambes encore flageolantes, mais elle se sentait bien.

— Jim ! s'exclama-t-elle, vous n'êtes qu'un gredin !

La réponse se perdit dans la chevelure blonde :

— Non, seulement un homme désespéré qui ne sait pas jouer avec les jolies dames.

Elle lui ôta ses lunettes noires sans qu'il relâchât son étreinte.

— Et si j'avais crié ? Qu'auriez-vous fait ?

Un éclat doré miroita dans les yeux de Jim, si brillants qu'elle se demanda s'ils n'avaient pas été récemment mouillés de pleurs.

— Je n'aurais pas cessé de vous embrasser pour autant, et je vous aurais fait taire par mes baisers, devant tout le monde.

Ils se regardèrent un instant, se redécouvrant l'un l'autre.

— Comment allez-vous, Rachel ?

Elle sourit, émue.

— Bien, merci.

Son sourire s'évanouit instantanément.

— Enfin... je le suppose.

Il couvrit son visage de baisers lentement, avec cette passion retenue qu'elle lui connaissait maintenant si bien.

— Ne vous inquiétez pas, dit-il. Il va bien...

— Au fait...

Elle leva la tête.

— Comment saviez-vous que j'arrivais aujourd'hui ?

Il se pencha pour prendre son sac et l'entraîna, un sourire mystérieux aux lèvres.

— Je vous l'ai déjà dit, c'est mon métier !

Elle renonça à l'interroger plus précisément. Seule sa présence lui importait.

Ils se rendirent directement à l'hôpital où la jeune femme passa un long moment avec son père. Elle s'efforça de cacher son inquiétude sous une mine sereine mais, dès qu'elle eut quitté sa chambre, toute son assurance l'abandonna.

Jim l'amena chez elle et, tout au long du chemin, respecta son silence.

Le soir, en la raccompagnant après une seconde visite à son père, il arrêta la voiture un peu avant le porche d'entrée et lui prit la main.

— Si nous marchions un peu ?

Elle acquiesça d'un hochement de tête et le suivit à travers la pelouse qui menait à la maison. Ils ne parlaient pas. Rachel se contentait de humer l'air léger du soir, essayant de se détendre. La présence de Jim l'apaisait d'autant plus qu'il paraissait très serein.

Au bout d'une demi-heure, ils se retrouvèrent sur le perron. Avant d'ouvrir la porte, il la prit par la taille.

— Allez vous coucher, maintenant. Voulez-vous que je passe vous prendre demain matin à huit heures ?

L'opération était prévue à neuf heures.

— Ce n'est pas la peine...

— Huit heures ?

— Jim, vous avez du travail !

— Ou préférez-vous sept heures et demie ?

Elle lui sourit avec reconnaissance.

— Huit heures, ce sera bien.

— Parfait.

Il traça le contour de ses lèvres du bout des doigts.

— Alors à demain matin.

Elle le regarda descendre vers sa voiture. Sur un dernier signe de la main, elle entra dans la maison.

Il lui avait dit d'aller dormir, mais trouverait-elle jamais le sommeil ?

Non seulement l'état de son père l'angoissait, mais elle ne cessait de penser à Jim, à la façon dont il était venu la prendre à l'aéroport, profitant de sa surprise pour lui témoigner son attachement sans jamais, ensuite, lui demander plus qu'elle ne venait de lui donner. En un sens, il ressemblait à Peter. Après l'échec de leur couple, ils étaient devenus les meilleurs amis du monde. Aujourd'hui, elle le considérait presque comme un frère.

Mais Jim... un frère ? Elle ne le voulait pas. Ce qui lui paraissait parfaitement naturel avec Peter devenait incongru avec lui. L'attirance physique était trop forte.

Elle se demandait sans cesse comment définir

ce qui existait entre eux. Chaque fois qu'elle le voyait, elle finissait par se retrouver plus seule qu'auparavant. Si seulement il était resté avec elle !

Chapitre 6

Il n'était pas loin de huit heures du soir quand Jim reconduisit Rachel aux Pins. L'opération s'était bien passée et la jeune femme avait même pu assister au réveil de son père dans la salle de réanimation. Désormais, il ne lui restait qu'à se rétablir.

Elle proposa à Jim d'entrer et ils se servirent un verre dans le petit salon. Son scotch à la main, elle se laissa tomber sur le canapé, poussa un grand soupir. La fatigue et la tension de cette journée pesaient maintenant lourdement sur elle.

— Pourquoi n'allez-vous pas vous coucher ? proposa-t-il. Quant à moi, si vous le permettez, je travaillerai un peu dans le bureau de votre père. J'ai encore des vérifications à faire.

Epuisée, elle ne se fit pas prier. Elle se leva pour lui dire bonsoir, tira sur sa jupe qu'elle avait l'impression d'avoir enfilée un an auparavant, monta se faire couler un bain et y demeura un long moment à paresser, à apaiser ses esprits. Puis, blottie dans un peignoir moelleux, elle alla dans sa chambre, sortit un étui de cuir et s'installa devant la fenêtre ouverte pour jouer de la flûte. Elle adorait jouer ainsi, par les douces nuits de printemps.

Une brise légère faisait voleter ses mèches encore humides, tandis que s'égrenaient les notes délicates de son instrument. Rachel passa du mouvement lent de *Finlandia* de Sibelius, à une valse de Chopin puis à une sonate de Haendel.

L'opération de son père s'était finalement bien déroulée : il était hors de danger. Elle se sentait infiniment soulagée. Pour la première fois depuis une semaine, le lourd nuage qui avait pesé au-dessus de sa tête s'estompait et elle se permettait de penser de nouveau à l'avenir.

Plus gaie, elle entama le rondo d'un quartet de Mozart, soudain heureuse, et même euphorique.

Et son propre avenir ? Que lui réservait-il ? Ces derniers jours s'étaient avérés très révélateurs sur bien des points. Si son père venait à disparaître, la musique suffirait-elle à remplir sa vie à jamais ?

Et puis... il y avait Jim.

Il la vit, assise devant sa fenêtre, sa silhouette se découpant dans la lumière de sa chambre sur l'obscurité de la nuit ; le clair de lune dessinait un halo autour de sa chevelure répandue en flots d'or sur ses épaules noyées d'ombre.

Il ne bougeait pas, fasciné.

Mais, soudain, le son trembla, s'interrompit. Avec un gémissement, elle laissa tomber sa tête sur sa poitrine et l'instrument glissa sur ses genoux.

Il se précipita vers elle.

— Rachel ! murmura-t-il.

Il lui caressait doucement les cheveux. Jamais elle ne lui était apparue si belle, si pure.

— Ah ! Rachel...

Sans relever la tête, elle lui prit une main et la porta à son cou. Elle paraissait accablée.

— Je ne sais pas ce qui m'arrive. Je jouais tranquillement et puis, plus rien. J'ai l'impression d'avoir perdu la tête.

Il la serra, l'embrassa doucement, et murmura à son oreille :

— Ce n'est rien, ma chérie. La tension nerveuse qui se relâche.

Elle s'agrippa à lui.

— J'ai peur.

— De moi ?

— De mes réactions si vous partez encore. Je ne crois pas que je pourrais le supporter, Jim.

Il l'entoura de ses bras, la pressa contre lui, aussi fort qu'il le put.

— Je regrette de vous avoir fait ça, Rachel.

Il parlait d'une voix rauque, brisée par l'émotion.

— Mais tout s'est passé si vite, ajouta-t-il. Vous m'en auriez voulu.

— Moi ?

— Oui, vous. Je venais de vous parler de mon manque de scrupules. J'avais déclaré ouvertement que j'entendais profiter de la situation. Et puis je n'ai pas pu. C'est tout simple.

— Mais pourquoi ?

Toutefois, sans attendre de réponse, elle poursuivait comme pour elle-même :

— J'étais consentante.

Elle secoua la tête, ajouta :

— J'ai tenté de comprendre et je n'y suis pas arrivée. Pourquoi, Jim ? Quelle a été mon erreur ?

— Vous n'avez commis aucune erreur ! Mon Dieu, Rachel ! Est-ce donc ce que vous avez pensé ?

Elle avait les yeux baignés de pleurs.

— Et que pouvais-je imaginer d'autre ? Je vous désirais tant ; je croyais que vous aussi... et tout d'un coup, vous avez tout arrêté.

Une longue larme coula sur sa joue. Il la recueillit d'un baiser et lui caressa le visage.

— J'ai arrêté, expliqua-t-il, parce que je ne me sentais pas le droit de me conduire ainsi avec vous. Vous étiez si vulnérable... Je vous ai vue et, brusquement, j'ai compris à quel point vous comptiez pour moi. Entre nous ce ne pouvait être une aventure sans lendemain. Je me faisais soudain l'impression d'un éléphant dans un magasin de porcelaine. Vous, si fine, si délicate et moi, qui risquais de vous blesser, physiquement et surtout émotionnellement.

Il la prit par les épaules, la regarda dans les yeux :

— J'ai besoin de vous, Rachel. J'ai encore tellement peur de ma maladresse, mais j'ai tant besoin de vous !

C'était comme si le soleil se levait sur un ciel d'orage. Elle n'était pas responsable de ce qui leur était arrivé. Peut-être, alors, lui restait-il une chance ? Elle voulait, elle voulait tant lui plaire ! —

Plus que tout, elle désirait rester avec lui maintenant. Et lui donner ce qu'elle avait refusé à Peter...

— Oh Jim !

Quels mots pouvaient suffire à exprimer ce qu'elle ressentait à cet instant ? Elle se jeta dans ses bras, bouleversée d'émotion ; la flûte tomba sur la moquette.

Il embrassa ses cheveux, et parla d'une voix enrouée tant il était troublé.

— Ce que je voulais, ce que je veux partager avec vous, c'est bien plus qu'une seule nuit ; c'est l'amour, le véritable, sans que le temps ait plus de prise sur nous. Auriez-vous assez confiance en moi pour l'accepter ?

La tiédeur de son souffle sur son front la fit frémir.

— Je ne crois pas que la confiance y soit pour beaucoup, murmura-t-elle triomphalement.

Elle savait pourtant que c'était bien le cas, mais tant d'autres sentiments lui semblaient plus importants, plus forts !

— Quand vous me tenez dans vos bras, j'ai l'impression de perdre la tête.

Elle eut un petit rire.

— Un éléphant dans un magasin de porcelaine ! Je dirais que vous êtes plutôt le sculpteur en train de modeler son œuvre !

— Et vous aimez ?

— Oui.

— Alors embrassez-moi, murmura-t-il contre

ses lèvres. Embrassez-moi : je viens de réussir un chef-d'œuvre.

Elle l'embrassa avec une dévotion brûlante, pour lui dire combien il avait raison, pour signifier ce qu'elle attendait de lui, pour lui montrer tout ce qu'elle lui donnait, d'ores et déjà.

Une joie profonde s'emparait d'elle, toute timidité oubliée, dans le bonheur de lui communiquer ce qu'elle ressentait. Elle se laissait emporter par un rêve et revenait sans cesse à cette bouche ardente qui l'attendait et l'accueillait.

Elle se sentait vivante, éclatante de jeunesse et de beauté, légère, capable de toutes les folies.

Une main brûlante courait le long de son dos, se posait sur ses hanches.

— Vous êtes si douce. Si tendre. Je voudrais vous embrasser partout.

Sous une lumière plus violente, il l'eût vue rougir ; dans le clair de lune, il ne distingua que son sourire. Elle avait un peu peur mais elle aimait cette peur et savait qu'elle ne lui résisterait en rien. Jim occupait tout son esprit. Elle avait été créée pour être aimée de lui.

— Ne craignez rien, murmura-t-il comme s'il devinait ses pensées.

— Je suis affolée, mais c'est si... envoûtant.

— Affolée ?

— Par toutes les sensations que vous provoquez en moi. J'ignorais qu'il pouvait en exister d'aussi fortes.

Il la serra contre lui, plongea sa tête au creux de son épaule ; elle sentait ses cheveux lui caresser le cou avec une tendresse qui la fit tressaillir.

— Vous avez froid ?

Il savait bien que non, mais le besoin de communiquer était plus fort que le sens habituel des mots.

— Non, mais c'est si bon...

— Pour moi aussi, ma chérie. Comme votre cœur bat vite !

Elle sourit.

— Je sais. Je ne peux pas l'arrêter.

— N'essayez surtout pas !

Il continuait à la tourmenter du bout des lèvres, savourant la douceur de sa peau. Quand elle se cambra instinctivement dans la fièvre de son plaisir, il ouvrit lentement la robe de chambre et contempla ce corps fragile qui s'offrait à lui et l'appelait de toute sa grâce. Il l'emporta vers le lit, s'allongea à ses côtés, dans la lumière pâle de la lune.

— Merci, murmura-t-elle. Je crois que je ne tenais plus debout !

Il sourit, et étala les longs cheveux blonds sur l'oreiller en un geste d'une lenteur empreinte d'adoration.

— Voulez-vous autre chose ? demanda-t-il d'un ton volontairement désinvolte.

— Oui...

Elle avait l'air fragile mais ce n'était qu'apparence, il le savait depuis longtemps. Néanmoins, la franchise de sa réponse le fit tressaillir.

— Otez vos vêtements !

Il secoua la tête, incrédule.

— Vous ne voulez pas ? s'écria-t-elle.

Il la rassura aussitôt.

— Si. Mais je suis surpris.

— Pourquoi ?

— Vous paraissez si... libre. Je crois que c'est le mot juste : innocente, mais libre de tout préjugé. Et c'est délicieux.

Sa voix s'engourdit.

— Je n'avais jamais connu de femme telle que vous, Rachel, intellectuelle et pourtant si naturelle quand vous le voulez ; honnête, mais sans agressivité ; étonnamment féminine, mais jamais passive.

Il s'interrompit et elle aurait juré, à cet instant, qu'il avait rougi. Peut-être n'était-ce qu'un tour du clair de lune dans le ciel mauve.

— Vous me plaisez, Rachel. Vous êtes tellement vivante comparée aux autres femmes.

Elle l'attira doucement à elle par un pan de chemise.

— Il n'empêche que je vous trouve toujours trop habillé à mon goût.

Agenouillé à côté d'elle, il se mit en devoir de défaire ses boutons, sans la quitter des yeux. La chemise glissa sur le sol, mais Rachel ne la regardait pas, fascinée par ce torse qu'elle découvrait enfin. Elle le trouva incroyablement large et musclé. Elle tendit la main pour le toucher.

Elle sentit la peau frémir à ce contact. Alors elle s'assit et commença à le caresser à son tour.

— Vous êtes très beau.

Elle ne s'était même pas rendu compte qu'elle avait parlé tout fort.

Il se pencha pour l'embrasser et elle l'entoura de ses bras, frottant la peau fragile au creux de ses coudes contre les flancs musclés et fermes dans un geste tendre et possessif.

Il ouvrit son ceinturon et se débarrassa de son jean.

Elle osait à peine le regarder, ne lui adressant que des coups d'œil furtifs et amusés ; elle goûtait sa gêne exquise, son cœur battant à tout rompre.

Leurs corps firent connaissance, d'abord avec des gestes retenus puis avec une joie débordante qui les fit s'aimer et se le crier, dans un paroxysme de fureur amoureuse.

Elle fut étonnée de l'entendre exhaler ainsi son plaisir, de le voir se crisper soudain et s'offrir à elle, avant de retomber et de la rejoindre dans l'abandon paisible où elle flottait doucement.

Ils se tenaient par la main, ne disaient rien, communiquant seulement par la chaleur de leurs peaux, par la sérénité de ce délicieux moment partagé. Rachel ne ressentait plus la moindre fatigue mais, au contraire, savourait l'apaisement de son corps. Elle aimait la caresse des cheveux bruns sur sa joue, l'odeur maintenant familière et adorée qui l'enivrait légèrement.

— Rachel, ma chérie ! Quel bonheur !

Elle le pressa contre elle, incapable d'exprimer la plénitude qui l'engourdissait.

— Rien ne pouvait m'arriver de plus merveilleux ! finit-elle par avouer.

— Vous le vouliez tout de même un peu, n'est-ce pas ?

— C'était inévitable. Je n'aurais pu l'empêcher, pas plus que l'on empêche le soleil de se lever, lui rappela-t-elle d'un air mutin. Je le voulais plus que tout au monde.

Ses yeux brillaient, pleins de larmes.

Il l'étreignit, tout aussi bouleversé qu'elle.

— Je rêvais d'entendre une telle déclaration, murmura-t-il. En fait, j'avais besoin de l'entendre.

Leurs bouches se rencontrèrent avec cette infinie tendresse qui était leur véritable lien.

Elle s'aperçut qu'il tremblait.

— Jim ?

— Je sais, marmonna-t-il en l'embrassant.

Il savait qu'il ne pouvait échapper désormais à l'amour, à la passion qui allait les dévorer, les dévorait déjà.

— Je vous aime, dit-il.

Il lui caressait encore le visage, comme s'il découvrait un trésor.

— Je vous aime, Rachel.

— Je vous aime, Jim, murmura-t-elle sans hésiter.

Chapitre 7

— Redites-le, demanda-t-il d'une voix sourde.

— Je vous aime.

C'était si facile à dire, à dire encore : elle le répéterait à l'infini s'il l'en priait.

— Vous le pensez vraiment ?

— Oh oui !

Un peu surprise, elle secoua la tête entre les mains qui la tenaient.

— Vous seul avez su m'amener sans crainte à la révélation de l'amour. J'ai l'impression d'être une autre femme maintenant.

— Vous êtes belle, intelligente et fascinante, et vous m'impressionnez toujours autant.

— Moi ? Je vous impressionne ?

Elle n'aurait jamais imaginé provoquer un tel effet chez cet homme qui avait dû connaître tant de femmes.

— Oui, vous. Votre vie est tellement...

Il chercha ses mots en regardant le plafond.

— Raffinée. Vous êtes comme une fée, une vision de rêve, si fragile.

Il leva la main pour l'empêcher de protester, poursuivit :

— Laissez-moi parler. Parfois j'ai l'impression que vous allez me glisser entre les doigts. Ou que je vous briserai en essayant de vous retenir. Ou qu'un autre homme, plus cultivé que je ne le suis, vous arrachera à moi.

— Cela ne se produira jamais...

— Alors épousez-moi, Rachel.

Ses mots flottèrent un instant, au fil de sa détresse. Les yeux de la jeune femme s'agrandirent, le sang se retira de ses joues.

— Acceptez-vous ? insista-t-il.

— Je... ne sais pas.

— Comment cela ?

— Vous me prenez de court. Tout s'est passé si vite !

— Mais vous avez dit que vous m'aimiez.

— C'est vrai, bien sûr.

De cela au moins elle ne doutait pas. Elle voulait se fondre en lui, tout lui donner, tout lui prendre, partager à jamais avec lui cet amour tout neuf et déjà si grand. Mais comment parler de l'avenir quand hier encore elle n'osait l'évoquer par peur de ce qui risquait d'arriver à son père ? Elle n'avait jamais voulu se préoccuper de l'avenir. Ce n'était pas dans sa nature.

— Marions-nous. Marions-nous maintenant. Aujourd'hui. Ou dans trois jours, dès que la loi nous y autorisera.

— Je... Je ne puis faire cela.

— Pourquoi ?

— Il reste trop de problèmes en suspens.

— Par exemple ?

— Par exemple mon père. Et ma tournée. Il faut que je la termine.

— C'est l'affaire de deux petites semaines !

— Mais il y aura encore de nouvelles tournées l'année prochaine, et l'année suivante. Et puis votre travail...

Elle se tordait les doigts, envahie par un soudain désespoir.

— Vous avez été le premier à me dire qu'il ne pouvait rien se produire d'important entre nous ; que vous passiez la plupart de votre temps dans votre voiture et moi en avion. Comment un mariage pourrait-il durer dans de telles conditions ?

— Je l'ignore. Mais je ne vous laisserai pas m'échapper !

Elle se radoucit, lui adressa un regard implorant.

— N'ayez aucune crainte de ce genre, Jim : moi non plus, je ne l'accepterai pas.

— Alors vous vous contenterez d'une aventure passagère entre nous ?

— Je n'aime pas ce mot. Ce que je vous demande c'est... du temps.

— Pour quoi ?

Elle haussa les épaules et son regard se perdit dans le lointain.

— Pour nous habituer à notre amour. Peut-être, en ce qui me concerne, pour vous faire une place dans ma vie, un peu sens dessus dessous actuellement.

Il savait qu'elle avait raison. Ils venaient à peine de se rencontrer. Et c'était une époque incertaine pour Rachel. Peut-être avait-elle surtout besoin d'évasion en ce moment. S'il voulait qu'elle s'attache à lui, il devrait s'abstenir de lui forcer la main, de lui faire des reproches.

Il eut un sourire indulgent.

— Comme vous voudrez, ma chérie. Vous avez gagné... la première manche. Puisque vous voulez du temps, je vous en laisse. Mais je reviendrai à la charge, je n'attendrai pas éternellement.

Il la contempla un instant, avec ce petit plissement des joues qui marquait son ironie.

— J'espère seulement qu'un jour vous viendrez me le demander vous-même.

Elle baissa la tête, soupira.

— Peut-être, murmura-t-elle sans la moindre conviction.

Il lui passa le bras autour du cou, attendri par cet effort candide.

— Je vous aime, murmura-t-il.

— Moi aussi.

Elle était sincère mais ressentait douloureusement le chagrin qu'elle devait lui causer. Elle se blottit dans ses bras. Plus tard, peut-être, pourrait-elle lui dire oui, avec joie...

Il ferma les yeux, pensant que rien au monde ne valait la douceur de ce lit, de cette femme qu'il se jura de ne plus brusquer. Quelques minutes plus tard, il sursauta, car la paix intérieure qui l'avait gagné se transformait en sommeil.

— Rachel ?...

Il avait dû faire un effort pour parler. Sa voix résonna dans le silence.

Elle ne réagit pas immédiatement.

— Je devrais partir, expliqua-t-il. Un peu plus et je m'endormais.

Il devina plus qu'il ne comprit la réponse :

— Non... non... restez.

— Mais Mme Francis saura que j'ai passé la nuit ici !

— Ce ne sera pas la première fois !

— C'était différent.

Il sentit qu'elle souriait contre sa poitrine.

— Je sais, dit-elle.

— Mais pas elle, c'est cela ?

Elle hocha la tête sans rien ajouter. A peine avait-il eu le temps de rabattre les draps sur elle qu'elle dormait profondément. Il posa la tête sur l'oreiller, heureux de pouvoir se reposer lui aussi. Ils auraient tout le temps de parler le lendemain.

Le mardi passa sans leur laisser le loisir de souffler. Pris par son travail, Jim ne put rejoindre Rachel à l'hôpital que tard dans la soirée. Tom commençait à s'alimenter et tous deux le laissèrent se reposer.

Dans le corridor, il la prit par le bras.

— Comment allez-vous, ma chérie ?

Sans la laisser répondre, il commença par l'embrasser puis se redressa en souriant.

— Je suis un peu fatiguée, déclara-t-elle enfin.

— Alors je vous emmène dîner et, après une bonne nuit de sommeil, il n'y paraîtra plus.

— Une bonne nuit de sommeil ?

Il sourit malicieusement.

— Enfin, seulement si vous y tenez.

Elle se serra contre lui, heureuse de sentir à nouveau près d'elle ce corps si solide.

Il la conduisit dans un restaurant situé entre Durham et Raleigh. Le repas fut agréable, les vins savoureux et la conversation animée. A la grande joie de Rachel, Jim continua de lui parler de sa vie.

— Vous avez travaillé pour le F.B.I. ? s'écria-t-elle, piquée dans sa curiosité.

— Deux ans seulement.

— Ça ne vous plaisait pas ?

— Beaucoup trop hiérarchisé pour moi. J'avais besoin d'action et surtout de vivre des rapports simples et directs avec les gens.

Il haussa les épaules.

— Alors j'ai fini par m'en aller.

— Et ouvrir votre propre agence ?

— Oui.

— Pourquoi ici ?

— Pourquoi pas ? J'avais suivi ma formation permanente dans cette université, je connaissais la ville et les environs, mes parents étaient morts, mes frères et sœurs établis dans les environs. Aucun lien ne me retenait plus à New York.

Il lui adressa un clin d'œil.

— Et puis Raleigh manquait cruellement d'un bon détective !

Elle sourit.

— Et les clients se sont aussitôt présentés ? Comme ça !

Il secoua la tête au souvenir de ses débuts.

— Pas exactement. Le démarrage fut très lent.

Je passais mon temps à me montrer dans les rues, les bars, les tribunaux, tous les endroits très fréquentés, histoire de me faire connaître. Puis je me suis vu confier une ou deux affaires que j'ai eu la chance de résoudre. Le bouche à oreille a fait le reste.

— J'aimerais vous voir travailler.

Il haussa les épaules.

— Je ne crois pas que cela vous amuserait beaucoup. Un tel métier peut paraître bien ennuyeux à ceux qui ne le pratiquent pas.

— Allons donc ! Vous m'avez bien entendue jouer de la flûte. Avez-vous trouvé cela ennuyeux ?

— Non. Parce que c'était vous.

Elle sourit triomphalement :

— Je n'en dirai pas moins de vous !

Il hocha la tête, vaincu.

— Soit. Nous verrons. A propos de travail, dites-moi ce que vous allez jouer à Des Moines...

Comme Jim l'avait promis, le dîner fut suivi d'une bonne nuit de sommeil. Rachel constata avec satisfaction qu'il avait emporté dans sa voiture de quoi se raser et se changer, au cas où...

Ils dormirent blottis l'un contre l'autre, s'éveillèrent à l'aube naissante et s'aimèrent dans les premiers feux du soleil.

Le mercredi fut une véritable course contre la montre pour Rachel : elle voulait voir son père ainsi que le chirurgien, avant de s'envoler pour Des Moines. Jim la déposa à l'hôpital le matin et passa la reprendre à une heure pour l'amener à l'aéroport. Il l'embrassa longuement avant de la quitter.

— A dimanche, murmura-t-il.

Il avait pris son visage dans ses mains, comme il le faisait si souvent, contemplant ses yeux adoucis encore par son amour dont ils témoignaient sans détour. Il déposa de nouveau un baiser sur ces belles lèvres à demi ouvertes.

— A dimanche, répondit-elle, le cœur lourd.

Elle n'aurait jamais imaginé qu'il pût être si difficile de s'en aller. En se détachant de Jim, elle eut l'impression de se déchirer en deux, mais préféra n'en rien dire, de peur de l'entendre à nouveau parler mariage. Elle ne se sentait pas prête à y songer, encore moins à en discuter.

Elle esquissa un sourire un peu forcé et se détourna, partant sans regarder en arrière vers la salle d'embarquement.

Quatre longues journées. Trois concerts agréables. Des heures et des heures de loisirs au cours desquelles elle ne cessa de souhaiter rentrer à la maison, avec Jim.

— Rachel ?

La voix douce la tira de sa rêverie.

— Oui, Peter, qu'y a-t-il ?

Ils restaient tous deux seuls à table à la fin du dîner, tandis que les autres étaient déjà partis se changer en vue du concert.

— Tout va bien pour toi ?

Elle eut un sourire attendri.

— Parfaitement, pourquoi ?

— Tu parais absente. On dirait que quelque chose a changé depuis la semaine dernière.

Elle esquissa un geste vague de la main.

— Oh ! Tu sais je... m'inquiète un peu pour mon père.

Elle n'eut pas le courage de lui parler de Jim en se demandant pourquoi.

— Tu avais pourtant dit que l'opération s'était bien passée, je crois ?

— En effet. Mais, tu sais, je me sens si loin de lui.

Elle détourna les yeux.

— Tu rentres demain, n'est-ce pas ?

Elle hocha la tête.

— Et je vous rejoins mardi.

Elle poussa un soupir.

— J'ai du mal à croire que la saison soit déjà presque terminée.

Elle rit.

— Et pourtant je me sens si fatiguée, comme si nous travaillions depuis des années.

— Que comptes-tu faire cet été ?

Elle le regarda dans les yeux. Ils avaient parlé maintes fois de leurs projets de vacances. Elle se demanda si elle était à ce point transparente qu'il ait déjà tout deviné. Ce n'était, finalement, pas si étonnant de la part de son meilleur ami.

— Je ne sais pas, dit-elle. Je ne voudrais pas m'éloigner trop de la maison aussi longtemps que mon père ne sera pas totalement rétabli. Ensuite... je ne sais pas.

— Tu le verras ?

Elle n'avait pas à lui demander de qui il parlait. Elle se contenta de hocher la tête.

— Tu l'aimes beaucoup ?

De nouveau, elle acquiesça, avec plus de conviction, cette fois. Elle fut soulagée quand elle vit le sourire de Peter.

— Je suis content pour toi, Rachel. Tu mérites un homme tel que lui.

— Tu le connais donc si bien ? demanda-t-elle d'un ton malicieux. Vous vous êtes rencontrés exactement trente secondes !

— C'est une question de perception instantanée. Le temps n'a rien à voir à l'affaire. Moque-toi de moi si tu veux, mais je trouve que vous allez très bien ensemble.

— Ton opinion compte beaucoup pour moi, tu le sais.

Ils se levèrent en même temps pour aller rejoindre leurs compagnons.

Peter s'arrêta au milieu du hall de l'hôtel.

— Tu rentres toujours directement après les concerts. Il te téléphone tous les soirs ?

Elle baissa la tête.

— Non, il travaille.

— A onze heures du soir ?

— Il est détective privé, répliqua-t-elle en hâte, il passe ses nuits en surveillance.

— Ce n'est pas une vie pour toi !

— J'ai ma vie à moi, et lui la sienne.

Ils pénétrèrent dans l'ascenseur et Peter appuya sur le bouton de leur étage.

— Mais s'il se passe quelque chose entre Jim Guthrie et toi, que décideras-tu ?

— Il ne se passera rien.

Elle utilisait à dessein les mêmes mots que Peter pour mieux appuyer sa réponse.

— Nous gardons tous deux les yeux ouverts. Nous savons qu'il nous est impossible de vivre ensemble avec les carrières que nous poursuivons.

Jim ne lui avait-il pas assuré qu'ils finiraient bien par trouver une solution ? Il ignorait laquelle mais ils trouveraient.

— Alors laisse-moi te souhaiter de ne pas trop en souffrir.

— Ne t'inquiète pas.

Ils se séparèrent à la porte de leurs chambres. En se changeant, la jeune femme repensa à la troublante conversation téléphonique qu'elle avait eue avec Jim, ce matin-là, quand il la réveillait, comme chaque jour.

— Quel vêtement portez-vous ? avait-il d'abord demandé.

— Quelle question ! Je suis encore au lit !

— C'est bien ce que je veux savoir. Dites-moi, est-ce la chemise bleue ? La verte ? Celle aux manches longues ?

— Elle est champagne, transparente et très près du corps.

Seul le début de la phrase était fidèle à la réalité.

— Vous n'êtes pas très charitable, Rachel. Vous rendez-vous compte de ce que vous êtes en train de me dire ?

— Il ne fallait pas me le demander... Avez-vous une autre question ?

— Est-ce que je vous manque ?

Elle retint son souffle, avant de répondre doucement :

— Oh oui ! Et moi ?

— Qu'en pensez-vous ?

— Quel vêtement portez-vous ?

— Aucun.

— Vous dormez toujours dans cette tenue ?

— M'avez-vous vu autrement ?

— Non, mais je croyais que c'était exceptionnel...

— En quoi ?

Elle perçut quelque chose comme un sourire dans sa voix et rougit, ce qui ne l'empêcha pas de lui retourner ses audacieux sous-entendus :

— J'étais près de vous et assez capable, je l'espère, de vous faire oublier vos habitudes vestimentaires !

Elle l'entendit rire aux éclats à l'autre bout du fil. Le matin convenait bien à leurs duels amoureux.

En soupirant, Rachel acheva de s'habiller. On était samedi soir. Encore un jour, non, pas même; à peine douze heures. Et puis elle le reverrait.

Le voyage en avion lui parut interminable. Cette fois, elle fut parmi les premiers passagers à sortir et ne put s'empêcher de promener ses yeux sur toutes les personnes présentes dans l'aéroport.

Elle n'eut pas besoin de chercher longtemps. Jim se tenait adossé contre un mur. Elle ralentit un peu son pas pour reprendre souffle tant elle était troublée de le voir enfin. Dans son jean et sa chemise bleue, il paraissait tout en jambes, élancé, mince, malgré la largeur de ses épaules ; superbement viril.

Le sourire qui illumina son visage bronzé suffit à la faire défaillir de bonheur. Elle pressa le pas, tenant son sac à bout de bras pour ne pas être gênée, se mit à courir en le voyant venir à sa rencontre et se jeta dans ses bras. Il la souleva de terre, la couvrit de baisers.

— Ah Rachel ! Quel délice de vous revoir !

Il la déposa enfin sur le sol pour admirer la nouvelle tenue qu'elle venait d'acheter en pensant à lui.

— Vous êtes magnifique ! murmura-t-il ; comme toujours...

— Et vous aussi, répliqua-t-elle en l'embrassant à son tour.

Quand ils se retrouvèrent tranquilles dans la voiture, Jim lança :

— Je crois que je tiens une piste.

— Pour notre affaire ?

Elle écarquilla les yeux.

— Peut-être. Un nom qui revient plusieurs fois dans les papiers de Renko : Landower. Cela vous dit quelque chose ?

Elle réfléchit, mais ne trouva rien. Elle secoua la tête en fronçant les sourcils.

— Etes-vous certain de tenir une piste ?

— Je ne sais pas. J'ai fait le tour des personnes qu'il fréquente et cela n'a rien donné.

— En avez-vous parlé à mon père ?

Pour la première fois, Jim parut hésitant.

— Je préfère ne pas le tourmenter avec cette enquête pour le moment. Il est encore très faible. Je vais continuer à chercher.

Elle oublia vite cette nouvelle, tout à la joie de le revoir.

Elle passa trois jours de totale félicité, entre les visites à son père et les moments partagés avec Jim aux Pins, les promenades, les courses en ville. Rachel eut même le plaisir de découvrir la maison de Jim.

Ils bavardaient de tout et de rien, se racontaient des épisodes de leur enfance, ou des événements plus récents ; et quand ils ne disaient rien, ils savouraient le plaisir d'être ensemble.

Le mercredi matin, Rachel s'éveilla la première pour découvrir un Jim encore endormi, son lourd bras bronzé encore enroulé autour de sa taille. Elle le contempla longuement, éperdue d'attendrissement, se disant que jamais encore elle nc l'avait aimé à ce point.

Elle vit son visage frémir quand elle dessina doucement le tracé de sa mâchoire, son nez se plisser quand elle lui caressa la joue, ses cils vibrer quand elle effleura ses sourcils. Il ouvrit enfin les yeux et elle sourit.

— Bonjour, murmura-t-elle.

Il jeta un regard sur sa montre, prit un air faussement excédé.

— Bien, madame. Pouvez-vous me dire pourquoi vous jugez nécessaire de me martyriser dès sept heures du matin ? Je suppose que c'est très grave !

— Très grave, en effet.

C'est elle qui le prit alors par la taille et se mit à l'embrasser doucement. Il sentit sa poitrine contre sa peau nue et poussa un profond soupir d'aise.

Alors qu'il lui caressait le dos et la tête d'un geste lancinant, elle finit par murmurer :

— Mon Dieu, Jim ! Comment ai-je pu vivre si longtemps sans vous connaître ?

— Je me le demande.

Elle parcourait tout son corps de petits baisers passionnés, prenant plaisir à entendre s'accélérer sa respiration.

— Je vous aime, Rachel.

Emue, elle n'en continuait pas moins à le provoquer, sans hésitation. Elle était certaine de lui plaire. Et les réactions de Jim suffisaient à lui confirmer qu'elle ne se trompait pas.

— Je vous aime, répondit-elle enfin, je vous aime aussi, Jim.

Ils n'eurent ensuite plus besoin de paroles pour s'assurer de leur amour et, soudain, ce fut comme s'ils n'avaient plus de temps à perdre. Leurs corps se ruèrent aux confins de la volupté, dans le plus exquis des tourments.

Ils demeurèrent un long moment immobiles et silencieux, reprenant leur souffle, incapable d'échanger une parole. Quand, enfin, Jim put bouger pour lui faire face, il repoussa doucement les mèches blondes qui restaient collées à ses joues.

— Il faut nous marier, Rachel.

C'était la première fois qu'il revenait sur ce sujet et elle se laissa surprendre. En se tournant vers lui, elle vit aussitôt l'étrange éclat qui brillait dans ses prunelles :

— J'ai si peur de vous perdre.

— Vous ne me perdrez pas, répondit-elle doucement. Je n'ai vraiment pas l'intention de fuir.

— Vous ne verrez plus les hommes du même œil, désormais.

— J'ai déjà vu bien des hommes, ils ne m'ont jamais intéressée.

— Vous ne saviez pas ce qu'ils pouvaient vous apporter.

— Croyez-vous que je vais chercher à rattraper le temps perdu ?

— Qui sait ?

— Il n'en est pas question.

— Comment pouvez-vous l'affirmer ?

— Parce que je vous aime. Vous. De tous les hommes que j'ai rencontrés au long de ma vie, vous seul avez su me... subjuguer. Ne le comprenez-vous pas, Jim ? Une signature officielle n'y changerait rien. Je suis là !

— Mais si vous m'aimez et ne voulez pas me quitter, pourquoi ne pas m'épouser ?

Pour la première fois, elle se sentit gênée.
— Pour quoi faire ? Est-ce donc si important ?
Il soutint son regard.
— Je veux que tout homme qui vous tend une coupe de champagne sache...
— J'appelle cela de la jalousie.
— Je sais. Mais je n'y peux rien. Pas plus que je ne puis m'empêcher de vouloir vous prendre sous ma responsabilité, légalement.
— Je ne désire ni être prise en charge... ni me sentir liée.
Elle avait répondu plus promptement, plus brutalement qu'elle ne l'eût souhaité, emportée par la déception qui montait en elle.
— Vous me prenez pour une demoiselle en détresse qui appelle son chevalier à la blanche armure ?
— Vous n'avez donc pas besoin de moi ? Vous réussissez dans votre métier, vous êtes indépendante et libre, c'est cela ?
Il marqua une pause, puis poursuivit d'un ton songeur.
— C'est sans doute pour ces mêmes raisons que je désire me marier, Rachel. Peut-être parce que ce morceau de papier me rassurerait, moi.
Les yeux de la jeune femme brillaient comme des braises.
— Oh Jim ! Vous vous causez de bien inutiles tracas.
Elle passa le doigt sur les plis qu'elle lui découvrait brusquement au coin de la bouche. Par cette expression nouvelle, qu'elle n'avait

jamais vue sur son visage, elle comprit son chagrin et en fut peinée.

— J'ai plus besoin de vous que de personne au monde. Ma liberté et mon indépendance ne sont que toutes relatives. Vous rendez-vous compte du changement dans ma vie qu'a provoqué votre rencontre ?

— Des changements dans votre vie ? Je n'en vois guère.

— Si vous ne comprenez pas cela, ne vous étonnez pas que je refuse de vous épouser.

Elle s'apprêtait à se lever quand elle se sentit happée par deux mains qui la plaquèrent sur le lit.

— Ne partez pas, Rachel. Répondez-moi ! Dites-moi que votre vie vous paraît plus riche, plus complète, maintenant ; dites-moi que vos nuits solitaires peuvent vous sembler plus frustrantes qu'auparavant, mais aussi plus supportables, parce que vous savez que le lendemain ou le surlendemain, nous serons réunis. Dites-moi que pour la première fois vous osez envisager l'avenir, et qu'il vous apparaît clair et merveilleux. C'est en tout cas ainsi que ma vie à moi a évolué, Rachel. Dites-moi qu'il en est de même pour vous.

Les yeux remplis de larmes, elle répondit avec véhémence :

— Mais c'est vrai, Jim ! C'est vrai ! Et je ne sais que faire.

Maintenant, elle pleurait sans la moindre retenue.

— Parce que j'ai peur, avoua-t-elle entre deux sanglots. Peur de la force de notre amour ; peur de vous perdre, mais... plus que tout, j'ai peur du mariage !

Elle secoua la tête.

— Je... ne sais... que faire !

En la voyant si bouleversée, il comprit que son refus n'était pas seulement motivé par la crainte de la nouveauté, comme elle le prétendait. Il y avait quelque chose de plus profond, qu'il ne saisissait pas encore. Et il la suspectait de ne pas s'en rendre compte elle-même.

— Chut ! dit-il.

Il s'assit, chassa ce qui lui restait d'angoisse pour mieux se préoccuper de la sienne.

— Ce n'est rien.

Il l'entoura de ses bras, la cajola, l'embrassa jusqu'à ce qu'elle cessât de pleurer.

— Ce n'est rien, ma chérie. Tout ira bien.

— Vous... dites cela, mais vous ne dites pas... comment. Je ne... veux pas perdre notre...

Ses larmes reprirent de plus belle.

— Il faut que je... m'en aille cet après-midi... et je ne le veux pas !

Il la serra plus fort contre lui.

— Ne vous inquiétez pas, Rachel. Nous saurons préserver notre amour.

Ces mots la poursuivirent tout au long de son voyage vers Omaha. Ils lui donnèrent assez de courage pour supporter les doutes qui l'assaillaient. Elle s'imaginait sans peine en compagnie de Jim en tant qu'amie, mais comme épouse ? Comme la mère de ses enfants ? Il paraissait tant tenir à en avoir. Saurait-elle les élever ?

Comme cela lui arrivait, malgré elle, bien souvent ces derniers temps, elle se remit à penser à sa mère et se demanda si elle connaîtrait jamais la vérité à son sujet. Elle n'avait pas osé en parler à Jim, et se le reprochait car comment envisager l'avenir quand elle ignorait une part tellement importante de son passé ? Sans doute l'aurait-il alors mieux comprise.

Ce fut une fois de plus Peter qui apporta son soutien.

Après le concert à Oklahoma, les musiciens se réunirent une dernière fois au cours d'un dîner d'adieu. Le repas terminé, Peter vint s'asseoir à côté d'elle :

— Tu pars demain matin ? chuchota-t-il.

— En fait, je me demandais si je n'allais pas prendre l'avion de huit heures ce soir. En me dépêchant, je pourrais encore l'attraper.

— Tu dois avoir hâte de rentrer chez toi une fois pour toutes.

Elle hocha la tête, le cœur battant.

— Mon père quitte l'hôpital demain matin. Je serais heureuse de pouvoir l'accueillir à la maison.

— Et Jim ?

Elle n'hésita qu'un court instant.

— Je suis sûre que lui aussi m'attend.

Il lui passa un bras amical autour du cou et l'entraîna hors du restaurant.

— Vas-tu l'épouser ?

— L'épouser ? Qui t'a mis cette idée en tête ?

Elle avait répondu trop vite et d'une voix trop forte pour paraître désinvolte.

— Toi. L'expression de ton visage quand tu penses n'être vue de personne.

Il la regarda marcher et reprit :

— Tu l'aimes, n'est-ce pas ?

Elle eut tout d'abord envie de nier. Mais pourquoi, après tout, le cacher à Peter ?

— Oui, murmura-t-elle. Je l'aime.

— Et lui ?

— Aussi.

— T'a-t-il demandé de l'épouser ?

— Oui.

Elle avait pris un ton négligent, comme s'ils parlaient de la pluie et du beau temps.

— Et tu as dit...

— Non. Je ne veux pas me marier.

Ils tournèrent au coin de la rue. Peter lui serra le bras.

— C'est la perspective des longues nuits solitaires à l'attendre qui te font reculer ?

— Je ne crois pas.

Si elle était sûre de son amour, elle se sentait capable de passer des heures et des heures à espérer son retour.

— Mais alors ? insista le guitariste étonné. Si ses obligations professionnelles ne te dérangent pas, que redoutes-tu ?

Elle étudiait soigneusement le trottoir qui défilait sous ses pieds.

— Je ne sais pas, finit-elle par murmurer. Peut-être faudrait-il plutôt incriminer mes obligations professionnelles à moi. Comment veux-tu qu'un mariage résiste à des tournées qui m'obligent à m'absenter les deux tiers de l'année ?

Ils marchèrent en silence jusqu'à ce que Peter propose, à contrecœur :

— Et si tu cherchais un emploi dans un orchestre de chambre proche de chez toi ?

— Et abandonner les tournées de l'ensemble Montague ?

— Si rester avec Jim a tant d'importance pour toi...

Elle secoua la tête.

— Je ne sais pas, Peter. L'ensemble Montague m'a tant apporté. Je ne suis pas sûre d'être prête à l'abandonner.

— Professionnellement, tu es prête, Rachel. Tu es une flûtiste accomplie que n'importe quel orchestre serait heureux d'accueillir.

Il lui serra de nouveau le bras :

— Attention : je ne cherche pas à te faire partir. Mais... je n'aime pas te voir malheureuse.

— Je ne suis pas malheureuse.

— Bien, je dirais plutôt tristement solitaire. Tes pensées sont plus souvent avec lui qu'avec nous. Et c'est normal si tu l'aimes.

Il poussa un grand soupir.

— Tu as tout l'été pour te décider. Réfléchis-y ; regarde autour de toi, les orchestres de ta région.

— Peter Mahoney ! s'exclama-t-elle avec un rire un peu forcé. Si je ne te connaissais pas comme je te connais, je dirais que tu es fatigué de jouer *Duelin' banjos* avec moi.

— Oh non, Rachel ! Jamais ! Tu es le meilleur élément de notre ensemble. Nous n'aurions pas tant de succès si tu partais. Mais je ne suis pas Ron, et je me soucie autant de ton bien-être personnel que de ton avenir professionnel.

Il s'arrêta au beau milieu de la rue, lui fit face.

— Je veux que tu sois heureuse, que tu réalises tous tes rêves. Montague en a été un et tu l'as vécu jusqu'au bout.

Il sourit.

— Te souviens-tu de la signature de ton premier contrat, combien tu avais peur ? Tu avais l'air de trouver tout cela si étrange. Mais tu le désirais tellement que tu as travaillé d'arrache-pied. Peut-être est-ce ce qui se passe avec Jim Guthrie. Il faut que tu saches ce que tu veux... et à quel point tu le veux.

Elle le regarda tristement, jeta les bras autour de son cou.

— Je t'aime tant, Peter !

Elle se réfugia sur son épaule, réconfortée.

— Alors vas-tu suivre mon conseil ?

Elle releva la tête, le contempla à travers ses cils humides.

— Lequel ?

— Prends vite cet avion et va le rejoindre. Il finira bien par te faire entendre raison !

C'était ce qui l'effrayait. Et la stimulait. Tandis que le taxi l'amenait aux Pins, tard dans la nuit, elle chassait de sa mémoire ce qui s'était passé jusqu'ici, pour ne penser qu'à ce qui allait se passer. Elle savait qu'il devait être en train de travailler, aussi lui préparait-elle une surprise pour le petit matin. Elle paya le chauffeur et le regarda décharger ses bagages devant le porche. Puis, le plus silencieusement possible, pour ne pas déranger Mme Francis, elle prit son sac et monta au premier étage.

Il faisait totalement noir. En longeant le corridor pour rejoindre sa chambre, elle finit par retrouver sa porte restée entrouverte et chercha la lumière à tâtons.

— Pas un geste !...

L'injonction provenait de quelque part au fond de la pièce.

Elle fronça les sourcils.

Chapitre 8

Elle s'était immobilisée, le cœur battant, quand la lumière jaillit de la lampe de chevet.

— Mon Dieu, Jim ! Comme vous m'avez fait peur !

Il eut un sourire piteux :

— Vous aussi, si cela peut m'excuser.

Ils se précipitèrent dans les bras l'un de l'autre, s'embrassèrent longuement avant toute autre explication.

Enfin la jeune femme se souvint de sa stupéfaction :

— Moi qui espérais vous surprendre demain matin au réveil ! Comment saviez-vous que j'arrivais ce soir ?

— Je ne le savais pas, et c'est bien pourquoi je me suis méfié en entendant marcher dans le corridor.

Il parlait d'une voix un peu hachée, dominant mal son émotion :

— Si je l'avais su, je serais allé vous chercher à l'aéroport. Je venais de terminer un travail en bas, au bureau. Je suis monté voir si ce n'était pas ici que j'avais perdu mon stylo.

Sans écouter ce qu'il disait, elle s'était mise à lui déboutonner sa chemise, tirant les pans hors de sa ceinture. Maintenant, elle lui libérait les épaules et lui caressait le torse.

Il se laissait faire, à la fois surpris et conquis par cette initiative, mais ne put s'empêcher de lui passer la main dans les cheveux.

Elle s'en prit à son ceinturon dont elle détacha la boucle avec une étonnante dextérité. Il se débarrassa de ses chaussures pendant qu'elle s'attaquait à la fermeture du jean, les sourcils froncés, comme une écolière appliquée. Il se mit à rire doucement et, tandis qu'elle ôtait en hâte ses propres vêtements, acheva de se déshabiller lui-même.

En retenant son souffle, elle caressa son torse, comme si elle voulait imprimer sur ses paumes le dessin de ses muscles. Elle le poussa légèrement pour qu'il s'étendît sur le lit et appliqua le même doux massage sur ses cuisses que la pratique de la course avait rendues élancées et puissantes. Elle ne cessait de s'émerveiller de la perfection de ce corps de bronze, à la fois mince et athlétique, ce corps qui lui appartenait en ce moment et qui la rassurait tant il respirait la santé.

Elle leva sur lui des yeux pleins de larmes et vint l'embrasser, fondant de passion.

— Comme vous m'avez manqué ! s'exclama-t-il à bout de souffle.

Et ce fut son tour de le lui prouver, avec toute la ferveur qu'il savait mettre dans ses caresses, avec une lenteur attentive aux moindres soubresauts de la femme qu'il aimait. Il l'entraînait avec lui, l'accompagnait, la précédait à travers un monde de sensations où elle ne percevait plus qu'un écho qui carillonnait dans sa tête : Jim ! Jim !

Une voix très lointaine lui parvenait, assourdie, et, quand s'apaisa le tumulte de son extase, elle finit par comprendre qu'il ne cessait de dire :

— Je vous aime... Je vous aime, Rachel...

Elle se tourna vers lui, déposa un baiser sur les lèvres humides qui venaient de l'appeler.

— J'en suis heureuse, Jim.

Combien de temps demeurèrent-ils ainsi, corps contre corps, cœur contre cœur ? Ils n'auraient pu le dire. Rachel savait seulement qu'elle n'avait jamais connu tant de félicité. Leur amour allait grandissant. Elle ne comprenait pas pourquoi, mais chaque nouvelle rencontre l'emportait plus loin dans son attachement pour Jim. Elle se sentait de plus en plus proche de lui, comme si, peu à peu, ils faisaient partie l'un de l'autre.

— Vous m'appartenez, maintenant, vous le savez, dit-il.

Elle ouvrit les yeux et s'aperçut qu'il était en train de la contempler.

— Pour tout l'été. Et à jamais... Vous ne l'admettrez peut-être pas immédiatement, mais vous serez ma femme. Je vous en prie, Rachel, dites-moi oui.

En cet instant, elle n'était pas loin de l'approuver ; c'était si bon de l'entendre parler ainsi. Etrangement bon.

— Il ne vaut mieux pas en parler maintenant, murmura-t-elle.

Mais cette obsédante interrogation semblait tourmenter Jim plus que leur bien-être présent :

— Quand donc, alors ? Votre père rentre demain matin. Il ne manquera pas de nous poser la question.

— Et pourquoi nous la poserait-il ?

— Enfin, il ne sera peut-être pas aussi direct, mais il s'interrogera sûrement. Quand un père voit sa fille flirter sous son nez...

— Je ne suis pas en train de flirter !

Un sourire bien masculin plissa la joue de Jim Guthrie.

— Comment appelez-vous cela, alors ?

— De l'amour !

— Est-ce ce que vous direz à Tom ?

— S'il me le demande.

— Dans ce cas, il pensera immédiatement à fixer la date de notre mariage. Que lui répondrez-vous ?

Elle se retrouvait au pied du mur.

En baissant les yeux, elle murmura :

— Je ne sais pas.

— Pourquoi ne pas l'annoncer pour la semaine prochaine ; au plus tard, le mois prochain ?

Il baissa la voix, sur un ton désolé :

— Qu'y a-t-il donc de si terrible à cela ?

— Rien. Mais je ne suis pas prête. C'est tout. Le mariage est un pas important à franchir.

Elle s'était mise à trembler, visiblement effrayée.

— Donnez-moi un peu de temps, Jim, je vous en prie !

— Et que ferons-nous quand votre père sera là ? Nous nous dirons gentiment bonsoir devant la porte ?

Il poussa un soupir exaspéré.

— Vous savez aussi bien que moi que c'est impossible !

Elle ne répondit pas, sachant bien qu'en effet elle ne se permettrait jamais de recevoir Jim dans sa chambre en présence de son père, comprenant aussi qu'elle ne pourrait se passer de lui bien longtemps.

— Je ne sais pas, finit-elle par avouer. Mais ne m'en demandez pas plus pour le moment. J'ai peur, c'est tout.

Elle tenta de s'expliquer :

— C'est uniquement une idée. Je réagirais de même avec n'importe qui.

— Ce n'est pas vraiment flatteur...

Elle détourna les yeux, gênée.

— Je sais, murmura-t-elle. Alors, disons que c'est une question de temps.

Au cours du silence qui suivit, elle se sentit gagnée par la confusion. Si elle était incapable de se comprendre elle-même, comment expliquer ses sentiments à autrui ? Et puis, pourquoi ne pas épouser Jim, si elle l'aimait ? Pourquoi se refuser une telle joie ? Parce qu'elle n'avait pas de mère sur qui se reposer ? Bien des femmes, orphelines très jeunes, étaient devenues d'admirables épouses, des mères modèles. Pourquoi pas elle ?

Et si, tout simplement, elle interrogeait son père sur ce qu'elle l'avait entendu dire dans ses rêves ? Mais elle ne pouvait le faire maintenant, tant qu'il ne serait pas rétabli. Elle avait attendu des années, elle pouvait encore patienter quelque temps.

— Voyez-vous, Rachel, reprenait Jim, si je ne vous aimais tant...

— Mais vous m'aimez, n'est-ce pas ?

— Comme un fou.

Et il l'embrassa avec toute la tendresse dont il était capable.

Il venait de lui donner un sursis.

Accompagné d'une infirmière qui resterait une semaine à son chevet, Tom Busek regagna sa maison le lendemain. Jim était allé les chercher en compagnie de Rachel, mais il les quitta peu après pour se rendre à son travail, non sans avoir demandé au vieil homme ce que le nom de Landower évoquait pour lui.

— Landower ? répéta Tom.

Il parut se crisper à ce rappel des ennuis de la S.C.T.

Jim commença par regretter de n'avoir su tenir sa langue, mais il était chargé d'une mission précise par Tom lui-même et il lui fallait l'accomplir.

— Cela vous rappelle-t-il quelque chose ?

— Non.

Le malade secoua la tête comme à regret puis ferma les yeux.

Sans rien ajouter, Jim s'était éloigné. Rachel le raccompagna jusqu'à la porte.

— Reviendrez-vous dîner ce soir ? Mon père ne se joindra sans doute pas à nous, mais je parie que Mme Francis nous préparera un repas exquis !

Il lui passa le bras autour de la taille.

— Comment refuserais-je une invitation à déguster de la bonne cuisine familiale ?

Elle sourit :

— Je vois le genre d'argument qui vous retient !

— Je crains seulement de devoir filer aussitôt après le dessert, mais... je reviendrai.

Il posa un baiser sur le bout de son nez et s'en alla. La jeune femme demeura songeuse sur le seuil, rêvant à ce que pourraient être ses adieux quotidiens à cet homme qui partait travailler.

L'infirmière veillait jalousement sur son malade ; elle empêchait quiconque de l'approcher, limitait les appels téléphoniques et les visites à leur strict minimum. Cependant, Rachel se fit un devoir de passer le maximum de temps auprès de lui, le promenant doucement dans le jardin. Il lui restait encore beaucoup de temps libre pour elle-même. Elle pouvait dormir tard, jouer de la flûte, et rêver dans l'attente de Jim.

La première semaine, il fut si occupé par une nouvelle affaire qu'il ne put même pas envisager de passer chez Rachel à des heures raisonnables. Mais, à la longue, à bout de patience, la jeune femme lui donna une clef en l'invitant à passer n'importe quand, à condition de repartir tôt, de façon à n'être vu de personne.

Au cours de la semaine suivante, l'infirmière s'en alla, Tom reprit assez de forces et la clandestinité de leur amour devint un réel problème. Un jour où Jim s'éclipsait après avoir déjeuné avec Rachel et son père dans le patio, Tom se tourna vers sa fille.

— C'est quelqu'un de bien, ce Jimbo!

Rachel se sentait bien dans sa peau. Non seulement le tendre soleil de juin lui caressait agréablement les épaules, mais Jim venait d'annoncer qu'il avait engagé un nouvel assistant. D'où elle avait aussitôt conclu que leurs nuits seraient plus longues.

Elle sourit.

— Si tu le penses...

Le vieil homme prit un air malicieux :

— Ne me dis pas que je me trompe!

— Non, avoua-t-elle doucement. Je l'aime.

Il secoua la tête en souriant.

— Je n'osais l'espérer. Et Jim, qu'en pense-t-il?

— Il m'aime aussi.

— Bien!

Le vieil homme frappa dans ses mains puis reprit son sérieux.

— Que comptes-tu faire?

Jim l'avait avertie. Il le connaissait.

— Nous allons passer ensemble toutes les minutes de notre vie, profiter l'un de l'autre... nous aimer.

— Et le mariage dans tout cela?

Elle baissa la tête, incapable de soutenir son regard.

— Plus tard, peut-être. Nous verrons.

— Que veux-tu dire ?

— Calme-toi, papa ! Tu ne dois pas t'agiter.

Il parla d'une voix plus basse mais non moins décidée :

— Et le mariage, Rachel ? Il ne t'a pas demandée en mariage ?

— Si.

Il la contempla, incrédule.

— Tu as rejeté sa proposition ?

— Pour l'instant...

Elle ne comprenait pas la réaction de son père. Il paraissait au bord de la colère.

— Enfin, ma fille, pourquoi ? C'est un homme bien et tu dis toi-même que tu l'aimes. Il ne te semble donc pas logique de l'épouser ?

— Ce n'est pas une question de logique, papa, mais de temps.

— Tu attends qu'il se lasse ? Où est passé ton bon sens, ma fille ? Prends-le, garde-le ! Ne cours pas le risque de perdre ce que tu as !

Elle ne s'attendait pas à cette véhémence et ne sut tout d'abord que répondre. Elle pensait le voir réagir avec joie et fébrilité. Elle ne le comprenait pas. C'était comme s'il avait peur.

— A t'entendre, finit-elle par murmurer, il est ma dernière chance ! Me trouves-tu à ce point peu présentable que je doive sauter sur le premier venu ?

— Je ne dis pas cela, mon petit.

Il s'était radouci. Il se pencha en avant et lui prit la main.

— Seulement, l'amour est un lien parfois ténu. Nous croyons le tenir au creux de la main et... quelque chose se produit qui brise tout.

— Tu parles de... maman ?

Elle avait toujours eu du mal à prononcer ce mot.

— Peut-être.

Elle fit mine d'admettre que sa mère était morte à sa naissance et poursuivit :

— Mais c'était différent. Ce genre de chose n'arrive plus aussi souvent de nos jours. Je crois que Jim et moi commettrions une erreur en nous faisant confiance trop vite.

Elle le vit qui secouait douloureusement la tête. Il parla très bas.

— Comment peux-tu douter de quelqu'un que tu aimes ?

— Pour commencer, nos carrières nous séparent. Nous devons prévoir des aménagements pour nous permettre de nous voir plus souvent.

Elle s'aperçut soudain que c'était exactement ce que Jim venait de faire.

— Et tu crois que c'est un tel obstacle ?

— Pas forcément.

— Alors... qu'attends-tu ?

Elle réagit un peu vivement :

— Est-ce un ordre ?

Tom soupira.

— Non, mon petit. Tu as passé l'âge de te soumettre à mes ordres. Prends-le seulement comme le conseil d'un père qui t'aime. J'apprécie Jim ; je crois qu'il ferait un bon mari, un bon père. Et tu l'aimes.

Il leva la main pour stopper les protestations qu'il sentait déjà venir :

— Maintenant, je sais bien que tout ceci peut te paraître démodé. Mais moi, je le suis assez pour avoir du mal à imaginer ce que vous faites tous les deux quand vous restez seuls.

Il la vit qui rougissait et sourit, d'un sourire mélancolique et affectueux.

— En tout cela, je ne pense qu'à te protéger, mon enfant.

— Mais je ne suis pas en danger !

— Non, je le reconnais ; avec lui moins qu'avec personne.

Il reprit son sourire malicieux :

— Au fait, dis-lui qu'il peut dormir plus tard le matin !

— Il a dit cela ? s'exclama Jim.

Il venait de la rejoindre dans sa chambre au beau milieu de la nuit. Il rejeta la tête en arrièrc pour rire à son aise.

— Ainsi il était au courant ! Et nous qui prenions tant de précautions !

— Je n'ai pas trouvé cela tellement drôle, grommela Rachel.

Elle mit un disque en sourdine.

— Qu'a-t-il ajouté ?

— Vous pouvez le deviner, murmura-t-elle le dos tourné.

— A propos du mariage ?

— Oui.

Il eut un large sourire.

— Je savais que je pouvais compter sur lui ! Il vous a fait la morale, je suppose !

Elle fit volte-face, mains sur les hanches, exaspérée :

— Il n'a pas obtenu plus de résultat que vous ! Je lui ai répondu que je n'avais pas l'intention de précipiter les événements.

— Ce n'est pas bien, Rachel, de priver un vieil homme de joies si simples.

Cette fois elle daigna sourire :

— Si je comprends bien, je devrais vous épouser pour faire plaisir à mon père ?

— Pourquoi pas ?

Il s'approcha d'elle, la prit dans ses bras.

— Vous n'en seriez pas gêné ?

— Pas le moins du monde.

— Jim ! Vous êtes affreux !

— Non, parce que je sais que nous nous aimons et que seul votre entêtement nous empêche de vivre ensemble dès maintenant. Aussi le premier prétexte venu me semble-t-il bon à saisir.

— Vous êtes immoral !

— Non. Simplement honnête.

Il regarda la chaîne stéréophonique d'où montaient des sons à la fois doux et inquiétants.

— Qu'avez-vous mis ?

— *La Symphonie Fantastique* de Berlioz. Pourquoi ? Vous n'aimez pas ? Comment voulez-vous que nous nous entendions si nous n'apprécions pas les mêmes choses ?

— Je n'ai pas dit que je n'aimais pas. Je voulais seulement savoir ce que c'était.

— Alors pourquoi faites-vous cette tête ? Allons, un peu de franchise, avouez que cela ne vous plaît pas du tout !

Il prit une expression contrariée, pencha la tête de côté.

— Sans me déplaire cela me paraît plutôt... décousu. La musique classique me produit toujours cet effet.

— Parce que vous ne la comprenez pas.

— Dans ce cas... expliquez-moi.

Elle fut saisie par son expression passionnée.

— Etes-vous sérieux ?

— Tout à fait ! Racontez-moi ce que j'entends.

Elle l'examina un instant et conclut qu'il ne plaisantait pas. Alors elle se blottit contre lui, la tête au creux de son épaule.

— Quand Berlioz a écrit cette œuvre, en 1830, dit-elle, il était follement amoureux d'une actrice qui ignorait son existence ; c'était un moyen d'attirer son attention. Dans un sens, c'est presque une musique autobiographique.

Elle s'arrêta un instant, écouta quelques mesures avant de poursuivre :

— D'après les notes du compositeur, la symphonie raconte l'histoire d'un jeune homme instable qui, sous l'effet de l'opium, subit une série d'hallucinations où lui apparaît sa bien-aimée.

Elle leva le visage pour le regarder dans les yeux.

— Ecoutez ce premier mouvement. Le musicien revoit sa vie passée, avant de connaître celle qui l'obsède. Ecoutez.

Il ferma les yeux, s'efforçant de se concentrer sur la musique.

— Qu'entendez-vous ? demanda-t-elle.

Il ne répondit pas immédiatement, cherchant désespérément une réponse intelligente :

— Que faudrait-il que j'entende ?

— A vous de décrire les idées qui vous viennent à l'esprit.

Il écouta de nouveau.

— Des choses très différentes. De la tristesse. Du bonheur. De la confusion.

Il leva la main.

— Rachel, je ne sais pas !

— Mais vous aviez raison ! répliqua-t-elle enthousiasmée. Ce sont précisément les sentiments qui hantent le jeune musicien. Dans un état second, il voit sa vie se dérouler sous ses yeux. Tristesse, bonheur, confusion. Il passe par tous ces états. Ecoutez, maintenant...

Elle retint son souffle :

— Là. Entendez-vous cette mélodie étrange ?

Il fit la grimace :

— C'est même la première que j'entends dans tout ce magma !

— C'est *L'Idée fixe*. Le thème de la bien-aimée. Ecoutez bien, vous allez l'entendre revenir tout au long de l'œuvre.

Il obtempéra, soutenu par l'enthousiasme de Rachel. Au début du second mouvement, elle raconta de nouveau l'histoire décrite :

— Le musicien se voit maintenant à un bal. Ecoutez : le rythme de la valse. Les pas des danseurs...

Elle se tut quelques instants, puis :

— Et maintenant... vous entendez ?

— La bien-aimée ?

Il avait cru reconnaître un air vaguement familier.

— Il ne peut lui échapper.

— Le pauvre, commenta Jim. Je connais ça !

Elle se serra contre lui, sourit.

— Je ne vous trouve pourtant pas particulièrement instable.

— C'est justement ce qui m'effraie. Je n'ai pas besoin d'hallucinations pour vous évoquer.

Il l'embrassa doucement.

— Je suis là, murmura-t-elle quand il la relâcha. Vous n'avez pas à évoquer quoi que ce soit.

— C'est ce que j'ai parfois du mal à croire. Il m'arrive de me dire que je ne fais que rêver, qu'un jour je m'éveillerai et que vous aurez disparu.

— Jamais.

— Alors épousez-moi.

Elle baissa les yeux, le souffle court.

— Non, Jim. Pas de discussion de ce genre quand nous pouvons enfin profiter un peu l'un de l'autre.

Il l'obligea à le regarder.

— Vous profitez de ce moment, vous ?
— Vous le savez bien.
La voix du détective se cassa soudain.
— Dans la situation où nous sommes, dites-moi comment vous pouvez être satisfaite.
Même si elle l'avait voulu, elle n'aurait pu détourner les yeux tant il la fixait intensément.
— Je suis heureuse de me trouver ici avec vous, de savoir que je n'ai pas un avion qui m'attend. Je suis heureuse de vous parler musique, de partager avec vous ce qui compte tellement dans ma vie.
Elle hésita mais il insista :
— Continuez...
— J'aime être dans vos bras. Je m'y sens en sécurité. Et puis il y a votre odeur...
— Continuez...
Elle vit un sourire ravi se dessiner sur ses lèvres.
— Vous aimez que je vous dise tout cela, n'est-ce pas ?
— Continuez...
En guise de réponse, elle se mit à déboutonner sa chemise, posa sa bouche sur le duvet de sa poitrine, et l'entendit pousser un bref gémissement qui l'encouragea à poursuivre :
— J'aime votre peau, la fermeté de vos muscles. J'adore vous sentir frémir au contact de ma main ; je suis ravie de voir l'expression de votre visage quand je vous parle ainsi.
Elle constata que le regard de Jim se figeait.
— La voici de nouveau !

— Qui ?

— La bien-aimée ! *L'Idée fixe* !

Le thème de Berlioz revenait en effet et Rachel poussa un petit cri de triomphe.

— Je n'aurais pas cru que vous la reconnaîtriez si vite !

En fait, elle-même avait complètement oublié la musique tant elle s'était prise à son petit jeu de séduction.

— Je pensais que vous n'écoutiez plus, avoua-t-elle.

Il l'embrassa doucement.

— Je veux apprendre, ma chérie. Parlez-moi encore de cette symphonie.

Elle lui caressa les cheveux, attendrie.

— *L'Idée fixe*, murmura-t-elle, est comme... une variation sur un thème. Le compositeur part d'une mélodie et la transforme sans arrêt, dans son rythme, dans sa texture même... tandis que l'essentiel reste toujours reconnaissable.

— Une variation sur un thème ?

Il l'embrassa.

— C'est un phénomène fascinant, observa-t-elle.

Ils en découvrirent bien d'autres cette nuit-là.

— Grande nouvelle !

Jim entra en coup de vent dans le patio le lendemain à midi. Rachel et Tom s'apprêtaient à déjeuner. Elle se leva aussitôt pour le prendre par le bras.

— Donnez ! s'écria-t-elle.

— Que voulez-vous ? Un baiser ou la nouvelle ?

— Les deux ! coupa Tom. Embrassez-la vite et passons à l'information. N'oubliez pas que mon cœur ne supporte plus le suspense.

Le baiser fut court et délicieux, la nouvelle également :

— Nous avons découvert l'intermédiaire.

— Qui ?

— Renko. Pat a pu le photographier hier soir en train de dîner avec un homme dans un restaurant proche de chez lui.

Rachel s'assit.

— Mais comment savez-vous qu'il s'agissait de son contact ?

— Ils ont échangé un paquet et, ce matin, Renko a déposé cinq mille dollars sur son compte.

Tom demeurait étrangement silencieux et Jim attendit un moment avant de poursuivre :

— L'inconnu conduisait une voiture de location et a passé la nuit dans un motel avant de prendre un avion ce matin. Les locations avaient été faites au nom d'une société établie à New York, la Landower. Quant à notre homme, il s'appelle Richard Landower.

Rachel fronça les sourcils :

— Le patron de l'entreprise ? Il n'allait tout de même pas venir en personne !

Jim haussa les épaules.

— Ce sera notre prochaine étape : découvrir pourquoi il a jugé bon de se déplacer. Il n'est que le vice-président, le fils du propriétaire ; il est très jeune, à peine trente ans. C'est bizarre.

Il se tourna vers Tom :

— Etes-vous certain que ce nom ne signifie rien pour vous ?

Ce dernier demeura pensif, fronçant les sourcils, puis affirma :

— Certain.

— Si c'était un rival de la S.C.T., reprit Rachel à l'adresse de Jim, nous en aurions entendu parler. Savez-vous de quoi s'occupe cette entreprise ?

— Vous ne me croirez pas et pourtant il s'agit d'un conglomérat de petites sociétés, dont plusieurs à but charitable, ainsi que la maison Landler Drum.

— La fabrique de vêtements ? s'exclama-t-elle. Qu'ont-ils à voir avec nous ?

— C'est la question que je me pose.

Tom paraissait tout aussi perplexe. Seule, Rachel réagissait.

— Je ne vois pas ce qu'ils peuvent attendre de nous. Etes-vous certain que Richard Landower est bien notre homme ? Et si Renko le connaissait pour de tout autres raisons ?

Jim secoua la tête en soupirant, comme s'il s'excusait :

— Il s'est passé certains événements à la S.C.T., le soir où Renko est resté travailler plus tard que les horaires habituels.

Il leva une main en voyant Tom s'agiter.

— Rien de grave, un sabotage mineur, des

papiers déclassés ; de quoi faire perdre un peu de temps à l'équipe, sans plus.

— Un retard supplémentaire, grommela le vieil homme. Pourquoi personne ne m'en a-t-il averti ?

— Nous ne l'avons pas jugé utile. Tout est rentré dans l'ordre maintenant. De toute façon, vous n'auriez rien pu y changer.

— Mais, intervint Rachel, ce retard sert parfaitement les objectifs de nos ennemis ! Renko avait besoin d'argent, il l'a provoqué. C'est simple.

— Dans un sens. Mais je ne suis pas sûr que ce soit tout. Evidemment, je continue mon enquête.

— Comment cela ? demanda Tom.

— Je m'envole pour New York, voir ce que je pourrai apprendre sur Richard Landower.

Rachel redouta ce voyage comme si c'était elle qui partait, comme si c'était elle qui avait peur de l'avion. Elle avait supplié Jim de la laisser l'accompagner, mais il s'était montré intraitable. Ces deux nuits solitaires lui parurent une éternité et, quand il rentra le troisième jour, leurs retrouvailles furent une véritable fête.

Tom Busek ne fit aucun commentaire sur l'écart important qu'il put constater entre l'heure d'atterrissage de l'avion et l'arrivée du couple aux Pins, ni sur leurs cheveux encore humides d'une récente douche...

— Qu'avez-vous appris ? demanda-t-il seulement à Jim.

Ce dernier prit une longue inspiration avant de répondre :

— Richard Landower a vingt-sept ans ; il vient de se marier et habite une aile de la demeure de ses parents à Long Island ; il est lui-même très riche et n'aurait apparemment aucune raison de fréquenter notre ami Renko.

— Et la S.C.T. ? demanda Tom nerveusement.

— Aucun indice. Je me suis glissé dans les couloirs de l'entreprise, il n'y a pas trace du moindre matériel de microélectronique ou d'irrigation.

Comme Rachel le reconduisait à la porte, bras dessus bras dessous, elle l'interrogea encore :

— Que comptez-vous faire maintenant ?

— Je continue, Pat et Wayne aussi.

Il fronça les sourcils, visiblement déçu.

— Il existe forcément un lien entre Renko et Landower. Cet argent n'est pas un don du ciel. Il y a quelque chose...

Elle s'arrêta devant la porte, lui entoura le cou de ses bras :

— Rentrerez-vous dîner ?

Il regarda sa montre.

— Je ne suis pas sûr. Il faut que je vérifie au bureau. Il paraît qu'une nouvelle affaire a été signée en mon absence et je veux voir de quoi il s'agit.

— Alors laissez-moi venir.

— Non.

— Pourquoi, Jim ?

— Ce pourrait être dangereux.

Le visage de Rachel se décomposa.

— Dites plutôt que vous ne voulez pas d'une femme pour vous gêner.

— C'est exact.

Il la serra dans ses bras.

— Pour ma tranquillité d'esprit, je préfère vous savoir en sécurité, ici.

— Je vais tourner en rond, pleurer d'ennui et de solitude.

Il lui caressa la joue.

— Jouez de la flûte !

— Je viens de le faire pendant deux nuits et deux jours ! Maintenant, j'ai envie de rester avec vous.

— Moi aussi, j'en ai envie, murmura-t-il, mais votre présence me rendrait trop nerveux et, sans doute, distrait. Si je ne fais pas attention, je trahis non seulement un client mais vous, par la même occasion. Si quoi que ce soit se produisait...

— Rien ne se produira !

Mais elle n'en dit pas plus, comprenant qu'il était inutile d'insister.

— Tenez-moi au courant pour le dîner.

— Je vous téléphonerai.

Il l'embrassa longuement et elle se retint de ne pas se suspendre à son cou pour le retarder encore.

Il revint finalement dîner mais, au moment de partir, n'eut droit qu'à un bref baiser, en présence de Tom. Quand Rachel se fut éloignée, celui-ci se tourna vers Jim.

— Elle est gentille, n'est-ce pas ?

Jim ne comprenait pas ce qu'il devait conclure d'un si soudain revirement. Allait-elle, par hasard, sortir de son côté ? Non, elle l'aimait. Il savait bien qu'elle allait l'attendre toute la nuit. Le savait-il... ou l'espérait-il ?

Il adressa un signe de la main à Tom avant de le quitter pour rejoindre sa voiture. Assis derrière son volant, dont le plafonnier était débranché pour ne jamais être éclairé par surprise pendant ses surveillances, il sortit un stylo à pointe lumineuse pour prendre quelques notes sur ses genoux. La nuit allait être longue.

Il démarra et se dirigea vers Durham, s'arrêta en route pour prendre de la bière et des cigarettes. Il contourna l'université jusqu'à l'endroit où l'attendaient Pat et Wayne.

Ce dernier, en voyant arriver la Camaro, recula pour lui laisser la place. La relève de guet s'opéra sans que fût échangé un seul mot.

Il coupa le moteur et se cala sur son siège, cherchant à tâtons une canette de bière qu'il ouvrit d'un coup de pouce. Il renversa la tête en arrière pour mieux faire couler dans sa gorge le frais liquide... et sentit soudain un objet métallique s'enfoncer dans ses côtes.

Chapitre 9

— Si vous ne me servez pas immédiatement à boire quelque chose de frais, vous aurez affaire à moi !

— Bon sang ! s'écria Jim en éternuant.

Le temps de retrouver sa respiration, il criait, furieux :

— Rachel !

Ses doigts se refermèrent sur son poignet.

— Que faites-vous ici ?

Elle se déplia enfin de la position inconfortable dans laquelle elle venait de passer une interminable demi-heure.

— Mon Dieu, Jim ! Je meurs de soif ! Ce doit être le bœuf de Mme Francis. Qu'êtes-vous en train de boire ? J'ai la langue comme du carton !

Il opéra un quart de tour pour la regarder.

— Enfin, Rachel ! Je croyais vous avoir dit...

— Je sais, je sais !

Elle voulut étendre le bras pour s'emparer d'une canette de bière mais il l'attira plus près de lui.

— Rachel ! Je suis en plein travail !

— Allons donc !

Jamais de sa vie elle n'avait fait preuve de tant d'audace.

— Pour autant que je sache, vous vous êtes contenté, pour l'instant, de rester assis et de boire.

Elle lui prit sa canette, en but avidement une longue rasade.

— Enfin ! J'ai cru mourir !

Maintenant qu'elle s'était rafraîchie, il prit un ton plus sérieux :

— Vous rendez-vous compte de ce que vous êtes en train de faire ?

Elle ne sut déceler si ce ton sec était dû à la colère ou à un reste de frayeur et réagit par une moue contrite.

— Parfaitement, Jim. Je voulais rester avec vous.

Sa voix se fit tendre :

— Ne m'en veuillez pas, j'aimerais tant savoir comment vous travaillez !

Il la contempla un long moment ; une éternité, pensa-t-elle, d'autant qu'elle distinguait mal sa physionomie dans l'obscurité ; finalement, il secoua la tête :

— Rachel, Rachel... que vais-je faire de vous ?

— Contentez-vous de me dire ce que vous êtes venu chercher ici.

— Mais votre père va s'inquiéter.

— Il ne saura rien. Il a bien assez de préoccupations.

Elle fronça les sourcils puis chassa cette pensée d'un haussement d'épaules.

— De toute façon, j'ai averti Mme Francis que je passais la soirée avec vous. J'ai l'habitude de me promener dans le jardin le soir. Papa ne posera même pas la question.

Elle jeta un coup d'œil sur les maisons qu'il examinait, de l'autre côté de la rue.

— Que cherchez-vous ?

Il ne répondit pas tout de suite puis finit par expliquer, à contrecœur :

— Je surveille mes arrières.

Il désigna le rétroviseur braqué sur une porte cochère derrière la voiture.

— Bravo ! dit-elle. Vous voyez sans être vu.

— C'est l'enfance de l'art.

Il reprit une gorgée de bière sans quitter le miroir des yeux.

— Jim ?

— Oui ?

— Vous n'êtes pas fâché, j'espère ?

— Je devrais l'être !

— L'êtes-vous ?

Il se composa une expression méprisante pour mieux la toiser, reporta les yeux sur sa porte.

— Non.

— Bon. Alors... dites-moi ce que nous attendons.

— C'est moi qui attends ! Quant à vous, vous allez dc nouveau vous cacher et vous faire toute petite jusqu'à ce que je vous permette de bouger.

Elle obtempéra en s'allongeant de nouveau sur la banquette arrière.

— Maintenant, racontez-moi tout, chuchota-t-elle.

— Nous recherchons une jeune fille qui a

disparu de son pensionnat. Une fugue, vraisemblablement.

Il se tassa sur son siège, expliquant calmement :

— Ses parents nous ont téléphoné il y a deux jours. Ils l'avaient inscrite dans cette école du Connecticut parce qu'elle leur occasionnait déjà des difficultés depuis quelque temps.

Il s'éclaircit la gorge.

— Par sa compagne de chambre, ses professeurs ont appris qu'elle n'avait cessé d'écrire et de voir toute l'année un garçon qui habite par ici.

— Que fait-il ?

— C'est une sorte d'étudiant attardé, beaucoup plus âgé qu'elle ; un peu trop poète pour les parents de la jeune fille.

— Je vois. La tête dans les nuages !

— A part ça, il est très beau, charmeur, séduisant, et n'a jamais levé le petit doigt pour gagner sa vie.

— Et vous attendez qu'elle sorte de cette maison ?

— Oui.

Il resta un instant silencieux, puis dit à voix basse :

— Ce sera très difficile.

— Pourquoi ?

— Parce que je vous sens là toute proche et que j'ai envie de vous prendre dans mes bras !

Sans quitter son rétroviseur des yeux, il la caressait doucement.

— Autrefois, poursuivit-il, je passais sans

peine des nuits entières à guetter ainsi. Depuis que je vous connais, cela m'est de plus en plus pénible ; je n'ai qu'une hâte : vous retrouver.

Elle se mordit la lèvre.

— Je suis navrée, je ne voulais pas vous distraire dans votre travail. Je ne suis pas venue pour ça.

— Pour quoi, alors ?

— Egoïstement, pour ne pas me sentir loin de vous. Mais je vais me faire toute petite, comme vous le souhaitez.

Il se mit à rire doucement, pensant que cela ne lui suffisait pas du tout à lui.

Elle ferma les yeux.

— Parlez-moi d'elle.

— Je ne l'ai vue qu'en photo. Elle est jolie, toute blonde comme vous, petite et bien mince pour ses dix-sept ans.

— Pensez-vous la reconnaître ? Elle a pu se déguiser.

— Sans doute, mais cela ne correspond pas au personnage. Et puis, quelque chose me dit qu'elle ne serait pas mécontente de mettre fin à cette escapade.

— Vraiment ?

— Elle avait l'habitude de vivre dans un certain luxe. Ses parents ont fait opposition sur son compte en banque, voilà qui devrait lui donner à réfléchir.

— Vous attendez qu'elle se lasse ?

— Pas moi. Mon métier se borne à la retrouver. Nous avons repéré le garçon, c'était le plus difficile, car il a toujours soigneusement caché son adresse. Heureusement que la petite écrivait son nom à longueur de journée sur ses cahiers.

Il rit.

— J'ai beaucoup de sympathie pour elle : elle doit détester le latin, car c'est dans ce cahier-là que nous avons retrouvé une foule de notes sur son ami ! Elle dessine très bien.

Rachel restait éberluée.

— C'est donc si simple ? Ses parents ne pouvaient-ils s'en charger seuls ?

— Ils n'auraient jamais pensé à ouvrir ses cahiers. D'ailleurs, ils croyaient plus à un enlèvement qu'à une fugue. Ce sont des gens très en vue qui préfèrent éviter le scandale, tandis que nous arrivons sans préjugé et enquêtons systématiquement. Quand ils sauront exactement où elle se trouve, ce sera à eux de prendre une décision.

— Donc vous ne l'avez pas encore vue ?

— Pas encore. Elle peut très bien se trouver ailleurs. Nous n'avons vu que le garçon, qui se contente de se rendre à ses cours et d'acheter des provisions. Aujourd'hui, Pat et Wayne se sont séparés : l'un le suivait quand l'autre restait ici à surveiller, mais cela n'a encore rien donné.

— Alors vous attendez. Que faites-vous pour tuer le temps ?

— Je pense...

— A quoi ?

— A cette jeune fille, aux erreurs que nous aurions pu commettre à son sujet. A ce qui peut bien se passer dans sa tête, à ses parents... que sais-je ?

Il demeura songeur, reprit :

— Que ressentiriez-vous si c'était votre propre fille qui risquait ainsi de gâcher toute sa vie ?

Elle ne sut trop que dire.

— Je crois que je serais follement inquiète.

Il se tourna et elle devina dans la semi-obscurité l'éclat de ses yeux d'ambre :

— Voulez-vous avoir des enfants, Rachel ?

— Je... n'y ai jamais beaucoup réfléchi...

Elle préférait mentir plutôt qu'avouer à quel point cette idée la tourmentait.

— Moi si, rétorqua-t-il. Et j'en veux de vous. Nos enfants. Je les désire presque autant que je vous désire.

Il frappa violemment le volant.

— Enfin, Rachel ! Je sais résoudre tous les mystères que l'on me soumet, mais pas celui-ci. Quelle force vous retient donc ? Si vous m'aimez...

Elle posa un doigt sur sa bouche pour le faire taire.

— Je vous aime, Jim, n'en doutez pas.

— Alors marions-nous ! Ayons des enfants !

Il se tourna de nouveau vers elle, lui caressa tendrement le cou :

— Ce serait si merveilleux...

Elle lui prit la main, articula d'une voix brisée :

— Une part de moi le souhaite à toute force, mais une autre se met à trembler. Je n'ai jamais pu m'imaginer dans le rôle d'une épouse ; encore moins dans celui d'une mère. Je ne pense pas être faite pour de telles responsabilités.

— Grands dieux !

Il attira la main de Rachel sur son cœur.

— C'est là l'important, Rachel ! Là que tout doit se passer ! Pas dans la tête ou dans l'imagination ! Vous possédez l'amour, la patience, la tendresse. Il ne vous manque que le désir. Et ne me dites pas que vous ne savez pas faire la cuisine : moi, je sais, et c'est suffisant ! Nous apprendrons ensemble à changer nos bébés. Vous voyez ! Tout peut devenir si simple si nous le voulons !

— Mais nous vivons déjà comme si nous étions mariés !

C'était la chose à ne pas dire. Elle le sentit frémir.

— Je veux que vous portiez mon alliance ! Comme je porterai la vôtre ! Je veux que nos enfants soient légitimes !

Ces mots la frappèrent de plein fouet. Elle savait qu'un mystère entourait l'existence de sa mère et, de plus en plus, elle la soupçonnait, tout simplement, de n'avoir jamais épousé Tom Busek. Ce qui faisait d'elle une enfant sans mère. C'était là une pensée atrocement douloureuse.

— Oh Jim !

Les yeux pleins de larmes, elle comprenait l'angoisse de Jim, et désespérait de pouvoir jamais l'en délivrer. Mais une autre angoisse, pas moins cruelle, la rongeait et elle ne pouvait l'exprimer, ne serait-ce que par égard pour son père.

Elle lui caressa la joue pour tenter de décrisper son visage.

— Je vous aime ; et je voudrais des enfants de vous... Jamais je n'aurais cru pouvoir vous dire cela, mais je suis sincère.

Des larmes firent briller ses yeux.

— Je serai sans doute une mauvaise épouse, une mère déplorable...

— Taisez-vous !

Il lui prit la tête, la posa sur son épaule.

— Ne redites jamais ça, Rachel !

— Mais il le faut...

Il caressa ses cheveux blond cendré.

— Pourquoi ?

— Parce que... parce que... ma propre mère... n'y est jamais parvenue !

Elle éclata en sanglots quand elle s'aperçut qu'elle avait parlé malgré elle.

— Vous vous trompez ! Ce n'était pas sa faute. La mort est inéluctable. Vous ignorez qui elle aurait pu être si elle avait vécu.

Il parlait tendrement, comme s'il rassurait un enfant.

— Et je suis certain que, pendant le peu de temps qu'elle a passé avec lui, elle a rendu Tom heureux.

Rachel ne parvenait à retenir ses pleurs.

— Il vous en a certainement parlé, ajouta-t-il.

Elle secoua la tête.

— Alors vous l'avez sans doute interrogé...

Elle prit une longue inspiration, comme pour reprendre son souffle.

— Il est toujours resté évasif à son sujet ; il prenait toujours un air trop triste pour que j'ose insister. J'avais alors l'impression de me montrer... déloyale. Comprenez-vous cela ?

Il repoussa les mèches qui tombaient sur son visage.

— Vous connaissant, bien sûr... Vous êtes si douce, si fragile. Vous pensez aux autres avant de penser à vous.

Il embrassait ses larmes pour tenter de les sécher.

— Mais si vous croyez m'épargner en refusant de m'épouser, vous vous trompez. Je sais que vous serez la meilleure épouse du monde. Si quelqu'un risque de n'être pas à la hauteur, ce serait plutôt moi...

Elle voulut protester, mais il poursuivit :

— Enfin, ceci est une autre histoire. Pour l'instant, nous parlons de vous. Peut-être refusez-vous un véritable engagement à cause de ce qui est arrivé à votre mère mais, Rachel...

Sa voix prit un ton confidentiel :

— ... souvenez-vous que c'est vous que je veux pour femme. Je ne sais combien de temps vous vivrez, ni moi ; mais je désire rester avec vous jusqu'à ce que la mort nous sépare.

Bercée par sa présence et ses doux aveux, elle se détendait, pour la première fois depuis longtemps. Elle avait envie de lui dire oui à tout, pour toujours.

Soudain une voix se fit entendre par la vitre ouverte :

— Jim ?

Il lâcha instantanément la main de Rachel pour faire face à son interlocuteur :

— Pat ! Que fais-tu ici ?

Rachel n'aperçut qu'une silhouette penchée sur la portière.

— Je suis repassé au bureau pour écouter les messages téléphoniques. Mme Francis a appelé.

— Mme Francis ?

La jeune femme n'avait pu s'empêcher d'élever la voix, inquiète.

— Que se passe-t-il ? demanda Jim.

Pat parut gêné et finit par s'adresser directement à Rachel.

— Votre père. Il vient d'avoir une nouvelle attaque...

— Mon Dieu ! s'écria-t-elle affolée.

— Ce n'est pas très grave, mais par mesure de prudence, il a été transporté à l'hôpital.

Elle éclata en sanglots et Jim la serra aussitôt dans ses bras tout en s'adressant à Pat :

— Sois gentil de reprendre la surveillance.

L'état de Tom ne s'avéra pas très grave mais il avait besoin d'une convalescence suivie dans une maison de repos.

Il partit immédiatement pour la Californie et laissa la jeune femme dans le plus grand désarroi. Son absence pouvait durer plusieurs mois. Elle se demandait comment faire face aux responsabilités qui lui incombaient sur tous les plans.

Cinq jours après ces événements, Jim, qui n'avait cessé de la soutenir, put enfin reprendre normalement ses activités. Mais il informa Pat et Wayne qu'ils resteraient responsables des nuits. Il avait décidé de ne plus laisser Rachel seule, aux heures où l'obscurité décuplait ses angoisses.

— Cette réduction d'activité ne vous gêne pas ? lui demanda-t-elle un soir, en redoutant sa réponse.

Ils étaient encore dans le potager, alors que le soleil venait de se coucher. Jim était adossé à un pommier, avec Rachel dans ses bras. Quoique fatiguée, elle ne s'était jamais sentie aussi bien depuis la seconde attaque de son père. Il sourit et plaisanta :

— Me suis-je plaint de quoi que ce soit ?

— Non, bien sûr !

Elle tint son bras plus serré autour de sa taille.

— Et je suis heureuse que vous restiez ici. Vous le savez. Je me demandais simplement si le travail de nuit ne vous manquait pas.

— Pas du tout.

— Vous avez passé tant de nuits dans votre voiture à observer les gens ! Vous deviez aimer cela, je suppose ?

— C'est vrai, mais alors je n'avais personne qui m'attendait à la maison.

Il faillit lui demander, à nouveau, de l'épouser mais pensa que ce n'était pas le moment.

— Voyez-vous, poursuivit-il, j'éprouve parfois du plaisir à me sentir le maître d'œuvre d'une enquête et à laisser les autres agir.

Elle leva la tête pour mieux le contempler dans les couleurs chaudes du couchant.

— Toute modestie mise à part ! ajouta-t-elle en riant. Mais ce travail intellectuel vous suffit-il ?

— C'est la meilleure part, répondit-il sans hésiter. L'analyse du puzzle, la mise en place des pièces. Il m'arrivera encore de devoir travailler la nuit, ne serait-ce que pour interroger des témoins qui travaillent toute la journée, mais les surveillances ne me manquent décidément pas.

Ils restèrent un instant à contempler le ciel bleu marine moucheté de rose.

— Au fait, reprit-il, vous ai-je dit que notre petite fugueuse était rentrée chez elle ?

— Non !

Elle se redressa pour mieux l'écouter. Elle savait que Wayne avait fini par la repérer un après-midi. Le rapport avait été adressé aux parents : leur mission était terminée.

— Quand est-elle revenue ?

— Hier, d'après ce que m'a dit son père ce matin. Il paraissait heureux.

— Ils ont suivi votre conseil de lui laisser un peu plus d'autonomie ?

— Oh ! Ce n'était pas seulement mon avis, mais aussi celui d'un psychanalyste et d'une assistante sociale. Finalement, leur patience a porté ses fruits : elle est rentrée de son plein gré.

— Restera-t-elle ?

Il hocha la tête.

— Rien n'est moins sûr, mais il est possible

qu'elle se montre désormais moins impulsive. Elle a dû être impressionnée par l'attitude magnanime de ses parents.

Il prit un air songeur.

— Si seulement je pouvais être aussi avancé dans l'enquête sur Landower et Renko.

— Toujours rien ?

— Rien. Plus de sabotage. Plus de remise d'argent. C'est curieux.

La barre de ses sourcils creusa l'orbite de ses yeux, sa bouche se crispa.

— Comme si l'absence de votre père avait tout fait cesser. Maintenant, le projet avance sans plus aucune difficulté. Je me demande s'il ne s'agissait pas après tout d'une vengeance personnelle. Quelqu'un qui, de l'extérieur, utilisait Renko pour exécuter ses basses besognes.

Il secoua la tête.

— Je voudrais bien savoir ce que Landower fait dans tout cela !

Tout d'un coup, une idée fulgurante fit battre le cœur de Rachel.

— Vous pensez qu'il s'agit de représailles personnelles, dites-vous ?

Sa voix s'était altérée. Un peu surpris, il répondit cependant :

— Peut-être. Nous finirons bien par le savoir. Mais... quelque chose ne va pas ?

— Moi ? Non, je vais bien, ne vous inquiétez pas.

— Vous paraissez si pâle, brusquement. Vous devriez dormir plus.

— Je dors beaucoup et vous le savez bien, observa-t-elle en souriant.

— Alors vous ne mangez pas assez. J'ai l'impression que vous avez maigri !

— Je n'ai pas d'appétit, reconnut-elle. Tous ces événements m'ont tant secouée.

— Vous devriez consulter un médecin. Il vous donnera un remontant...

Elle lui semblait parfois absente ces derniers temps et les ennuis de santé de son père n'en étaient sans doute pas les seules causes. Mais il n'osa l'interroger, de peur de la brusquer.

— Je vais bien, conclut-elle d'un ton sans réplique.

Il se promit de revenir à la charge plus tard.

— Jouez pour moi, Rachel.

— Y tenez-vous vraiment ?

— Vraiment. Je ne vous ai pas entendue depuis longtemps.

Elle éclata de rire.

— Dire que je me souciais de vous épargner le bruit de ma flûte ! Désormais, je vous attendrai pour répéter.

Mais son rire se transforma tout à coup en une sorte de sanglot.

— Jim ?

— Que se passe-t-il, ma chérie ?

— J'ai besoin de votre aide.

— Tout ce que vous voudrez, Rachel, dites-moi.

Elle se mordit la lèvre, visiblement bouleversée par un flot de sentiments contradictoires, et il sentit soudain qu'elle allait lui livrer ses tourments les plus intimes.

Il la prit par le bras et la serra aussi fort qu'il le put contre sa poitrine.

Quand elle releva les yeux sur lui, il retint son souffle.

— Aidez-moi à retrouver ma mère, Jim !

Elle venait de parler d'une voix si ferme qu'il en fut surpris.

— Elle est encore vivante, j'en suis certaine, ajouta-t-elle.

Chapitre 10

— Votre mère ?

Jim n'en revenait pas. Il se demanda un instant si la fatigue ou la fièvre ne faisaient pas divaguer sa compagne.

— Mais vous m'avez dit vous-même qu'elle était morte à votre naissance !

— C'est ce que j'ai toujours voulu croire, poursuivit-elle avec un calme surprenant.

Comme si le fait d'avoir pris la décision de parler faisait disparaître les blocages qui l'avaient si longtemps retenue, elle s'exprimait maintenant d'une manière parfaitement décidée.

— Jusqu'au jour où j'ai entendu mon père parler dans son sommeil.

— Quand cela s'est-il produit ?

— Plusieurs fois l'année dernière. Particulièrement en été, sans doute parce que j'étais là plus souvent. Je n'ai pas toujours saisi ce qu'il disait mais il me semble avoir reconstitué une partie de la vérité.

Tout en parlant, ils s'étaient dirigés vers la maison.

— Voyez-vous, continua-t-elle, les yeux rivés au sol, lorsque j'étais enfant, je rêvais qu'un jour elle reviendrait, qu'elle était partie faire soigner cette maladie qui ne l'avait peut-être pas tuée.

Elle rit comme pour elle-même en s'asseyant :

— J'imaginais le jour où mon père me l'amènerait enfin, et elle serait si belle, si bonne et si douce... J'étais bien naïve !

Jim allait et venait dans le bureau. Il vint lui prendre la main qu'il porta à sa bouche :

— Non. Et il faut que tout adulte réalise ses rêves d'enfant, sinon à quoi servirait-il de grandir ?

Elle fronça les sourcils puis le regarda droit dans les yeux :

— Il y a longtemps que j'ai abandonné ces illusions et j'ai appris à me passer d'une mère. D'ailleurs, je me demande ce que j'en aurais fait...

— Alors pourquoi la chercher ?

Il avait saisi depuis quelques secondes que la réponse à cette question touchait à lui-même, et à leurs relations.

— Parce que, dit-elle, je sais qu'elle est à l'origine de ma crainte de vous épouser, Jim. Je n'avais pas de modèle à suivre, tout au moins est-ce l'excuse que je me donnais au début, mais quand je vous ai rencontré, j'avais déjà entendu mon père parler dans ses rêves et compris qu'elle était partie et non pas morte, et je me demandais pourquoi. Mon père l'aimait pourtant ; il me l'a bien souvent dit !

Sa voix s'enroua, mais elle s'obligea à continuer.

— Il ne me restait qu'une conclusion : elle

refusait d'être mère autant qu'épouse, car elle ne se sentait pas faite pour ces rôles.

Il lui prit la main, caressa sa propre joue du bout de ses doigts fins, et ajouta, à voix basse :

— Et vous en avez conclu que vous étiez faite sur le même modèle, que vous me feriez souffrir comme elle a fait souffrir votre père !

Il la serra contre lui.

— Mais vous n'êtes pas ainsi !

— Redites-le et je vous croirai presque.

— Presque ?

— Vous comprenez maintenant pourquoi je veux retrouver ma mère.

Elle le prit aux épaules, et le secoua, comme pour lui faire mieux comprendre l'intensité de sa détresse.

— Je veux savoir, une fois pour toutes, ce qu'elle a fait de sa vie. Je veux comprendre pourquoi elle a agi ainsi.

Elle le fixait avec angoisse et, comme il ne disait rien, elle insista :

— M'aiderez-vous, Jim ? Je n'y arriverai pas sans vous.

Pourtant il ne réagissait toujours pas et seule la peur, qu'il lut soudain dans ses yeux, le fit sortir de son mutisme.

— Je vous aime, Rachel. Je veux que vous soyez ma femme, la mère de mes enfants ; peu importe que la vôtre soit une personne exquise ou un être dévoyé.

Il la retint quand elle défaillit.

— Non, écoutez-moi, j'ignore totalement ce

qu'elle est, je voulais simplement préciser que cela n'avait aucune importance à mes yeux. Il reste également la possibilité qu'elle continue à vous rejeter et refuse même de vous parler.

— Pourquoi dites-vous cela ? demanda-t-elle en pleurant.

— Parce que je vous aime.

Il la mena vers le divan, la fit asseoir.

— Comprenez que c'est mon travail. J'ai déjà été confronté à ce genre de situation. J'ai aidé bien des gens à retrouver un parent perdu et je sais que les résultats ne sont pas toujours positifs. Vous devez vous attendre au pire. Je me moque de ce que peut être votre mère, mais pas vous. Et que nous arriverait-il, Rachel, si une rencontre avec elle confirmait vos craintes ? M'aimerez-vous encore ? Accepterez-vous de devenir ma femme ? Ou cela vous convaincra-t-il seulement de ne pas m'épouser ?

Elle ne savait plus que penser, la vue et l'entendement brouillés par les pleurs.

— Et si elle est beaucoup mieux que je ne le pense ? finit-elle par répliquer. Si elle a une tout autre histoire à nous raconter ? De toute façon, il faut que je sache. Comprenez-moi, il faut que je sache qui je suis !

Elle s'efforça de recouvrer son calme, reprit sa respiration.

— M'aiderez-vous ? Je ne vous demande que de faire votre métier. Si je dois me débrouiller seule, je mettrai beaucoup plus de temps, mais je finirai tout de même par y arriver.

Elle baissa le ton.

— Et je ne veux plus attendre.

Cette dernière phrase emporta la décision de Jim. Elle lui demandait de l'aider à briser le dernier obstacle qui existait entre eux.

— Bien sûr que je vous apporterai mon soutien, ma chérie.

Il lui caressa gentiment la joue.

— Vous savez bien que je ferais tout pour vous.

Soulagée, elle se jeta dans ses bras, mais il la repoussa doucement.

— Mais à une condition.

— Laquelle ? demanda-t-elle sur ses gardes.

Il eut envie de dire : que vous m'épousiez, mais opta pour une formule plus prudente :

— Commencez par vous alimenter normalement. Dormez tranquillement et laissez-moi effectuer mon travail seul.

— Entendu, acquiesça-t-elle gravement. Mais une fois que vous l'aurez repérée, c'est moi seule qui l'approcherai.

— Nous verrons. Chaque chose en son temps.

Il se leva pour leur servir un verre de scotch.

— Maintenant, il va falloir me raconter tout ce que vous savez. Je suppose que vous ne mettrez pas votre père au courant.

Elle baissa la tête.

— Non.

— Tâchez de vous rappeler tout ce qu'il a pu vous dire au sujet de votre mère. Le moindre détail sera le bienvenu.

— Elle s'appelle Ruth.

— Pas de nom de famille ?
— J'ignore lequel.
— Où se sont-ils rencontrés ?
— Je ne sais pas.
— Où se sont-ils mariés ?
— Ils ne l'ont peut-être jamais été.
— Qu'est-ce qui vous fait dire cela ?
— Je ne sais pas. C'est juste une impression. Mon père n'a jamais prononcé le mot de divorce et si jamais elle est toujours vivante...
— Votre père voyage-t-il parfois ?
— Pas très souvent. En général, c'est pour l'entreprise.
— Où se rend-il alors ?
— A New York, à Philadelphie, à Washington ou Atlanta... il a toujours des correspondants sur place.
— Et il n'a jamais mentionné d'amis qui le recevraient dans l'une de ces villes ?
— Non.
Elle s'immobilisa soudain.
— Et si nous ne la retrouvons pas, Jim ? Est-ce possible ?
— Attendez ! Vous vous adressez au meilleur des détectives ! Nous y mettrons le temps qu'il faudra, mais nous réussirons.

Ils recherchèrent sur tous les registres officiels de la ville une trace du mariage, mais Tom et Ruth pouvaient s'être mariés ailleurs. Finalement, Rachel passa son temps à lire tous les documents ou articles de journaux pouvant leur apprendre quelque chose. C'était la partie la plus ingrate de l'enquête, mais celle qui pouvait aussi apporter le plus de fruits. Et, ainsi, Jim la savait en sécurité tout en étant occupée.

— Quand je pense que votre certificat de naissance ne porte que la mention Ruth D. Busek ! J'aimerais avoir l'original entre les mains. Si seulement nous pouvions savoir ce que signifie ce D. Votre père n'a jamais mentionné de noms propres ?

— Ruth, c'est tout ce dont je me souvienne.

— Normalement, le nom de la mère devrait être indiqué en entier. Comme vous êtes née dans un petit hôpital, ils n'ont sans doute pas prêté grande attention aux usages. Je vais tout de même me mettre en rapport avec eux.

C'était leur première piste concrète et elle eut un aboutissement : elle leur révéla le nom de Ruth Drummond Busek.

Mais Rachel ne trouva aucun certificat de mariage correspondant. Quant à l'annuaire des téléphones de la région, il contenait des centaines de Drummond.

Jim ne se décourageait pas pour autant et Rachel le soupçonnait même de se prendre au jeu.

— Vous aimez toutes ces enquêtes ! déclara-t-elle un soir.

Ils venaient de se coucher et Jim lui avait raconté comment il avait interrogé discrètement, mais en vain, les amis les plus proches de Tom à la S.C.T.

— Oui, j'aime ça, mais en l'occurrence, je préférerais que celle-ci trouve au plus vite sa solution ! Elle devient comme un défi pour moi.

La première semaine de juillet arriva en même temps qu'une nouvelle pour Rachel.

Jim lui téléphona dès le matin de son bureau.

— Je crois que j'ai trouvé quelque chose, ma chérie. Je propose de venir vous chercher dans une heure pour vous emmener déjeuner.

— Dites-moi tout maintenant !

— Dans une heure.

Elle ne mit pas une demi-heure à se préparer et l'attendit en bouillant d'impatience.

— Qu'avez-vous trouvé ? demanda-t-elle dès qu'il arriva.

Il l'entraîna vers une nouvelle voiture, une Mazda sport, et attendit qu'elle y soit parfaitement installée avant de démarrer.

— J'ai retrouvé, expliqua-t-il alors, un des plus anciens fournisseurs de Tom aux débuts de la S.C.T. ; un certain Hans. Connaissez-vous ce nom ?

— Non. Qu'a-t-il à voir avec ma mère ? L'a-t-il connue ?

— Il ne l'a jamais vue, et pourtant votre père et lui étaient d'excellents amis à l'époque.

— Je ne comprends pas.

— J'y viens. Tom n'était pas très bavard sur sa vie privée, mais on finit toujours par se confier à un ami et, un soir, il lui a raconté qu'il était tombé amoureux d'une femme de New York qui l'avait rejeté et qu'il en souffrait cruellement.

— Où cela s'est-il passé ? A-t-il précisé ?

Jim se gara dans le parking d'un petit restaurant et arrêta la voiture.

— Non. Hans se rappelle seulement qu'il l'avait décrite comme élégante et raffinée.

Elle tremblait de nervosité.

— Savez-vous autre chose ? A-t-il dit où ils se rencontraient ?

— Non.

— Ou s'ils se sont mariés ?

— Il l'ignore.

Elle secoua lentement la tête, la physionomie tendue, puis parla d'une voix plus hésitante :

— Hans a-t-il entendu parler de moi ?

— Beaucoup, oui. Tom était intarissable à votre sujet.

— Et sans jamais mentionner l'existence de ma mère ?

— C'est ce que m'a dit Hans.

Elle ne savait quelles conclusions en tirer, encourageantes ou décourageantes. Jim s'empressa de caresser son visage et son regard d'ambre se posa tendrement sur elle.

— Du cran, ma chérie. C'est une très bonne nouvelle. Nous savons que votre mère vient de New York et, sans doute, d'un milieu assez aisé. Ce sont là des indices capitaux.

— Peut-être...

Elle poussa un lourd soupir.

— Et maintenant ?

Il désigna le restaurant du menton.

— Maintenant, nous allons déjeuner.

Ce même soir, tandis que Rachel dormait, Jim passa des heures au bureau à examiner les idées qui se présentaient à lui.

Il fallait d'abord tenir compte du fait que, vingt-neuf années auparavant, les mœurs n'étaient pas les mêmes. Une jeune femme enceinte, qui ne voulait ou ne pouvait se marier, abandonnait son bébé à la naissance plutôt que d'avorter clandestinement.

Refusant un mariage avec un homme qui n'était pas de leur catégorie sociale, les parents de Ruth avaient dû l'éloigner le temps qu'elle donnât naissance à sa petite fille, pour l'abandonner aussitôt.

Partant de cette piste, Jim pouvait suivre plusieurs filières en enquêtant auprès des hôtels, des motels et autres pensions de la région proches du petit hôpital où Rachel était née. Mais il abandonna vite cette idée en pensant que Ruth Drummond ne s'y était certainement pas inscrite sous son vrai nom. Il restait, dès lors, à interroger les employés de ces hôtels. Mais comment les retrouver après tant d'années ?

Il pouvait aussi téléphoner à tous les Drummond de New York et ses environs, ce qui faisait quelques milliers de personnes...

Toutefois, si les suppositions de Jim étaient bonnes et que la mère de Rachel provenait bien de la haute société, le malheureux Tom Busek avait dû promettre, en échange de son enfant, de ne jamais chercher à la revoir. Dans ce cas, la famille avait dû prendre des mesures pour qu'il soit impossible de la retrouver.

C'était trop facile... Il reçut les informations qu'il espérait l'après-midi suivant sur un simple appel téléphonique. Trop facile... l'énigme demeurait entière.

Après de longues hésitations, il retourna aux Pins et s'arrêta devant la porte de Rachel, l'esprit envahi par le doute.

Elle était en train de jouer de la flûte. Il l'avait entendue depuis le rez-de-chaussée. Il avait failli tourner les talons et s'en aller, mais il songea qu'elle avait le droit de savoir. S'il ne craignait plus pour leurs relations, il redoutait simplement de la faire souffrir.

Il frappa à la porte, et imagina Rachel posant précipitamment sa flûte, puis courant lui ouvrir. Il retint son souffle à l'apparition de la délicate silhouette blonde qui se tenait devant lui. Elle portait un jean délavé, un chemisier de coton et ressemblait à une adolescente dans le soleil de cette fin d'après-midi qui jouait sur ses cheveux. Son visage s'illumina d'un large sourire et elle se hissa sur la pointe de ses pieds nus.

— Jim !

Il la prit dans ses bras, l'embrassa longuement.

— Quelle bonne surprise ! murmura-t-elle, les yeux clos. Je ne vous attendais pas si tôt.

Il serait bien resté des heures à l'embrasser ainsi. Elle paraissait heureuse, et raconta qu'elle avait de bonnes nouvelles de son père. Dire qu'il risquait de tout gâcher !

— Il fallait que je vous voie, commença-t-il.

Elle fronça aussitôt les sourcils, comme si elle avait déjà deviné ce qui allait suivre.

— Vous avez appris quelque chose ? demanda-t-elle.

— Venez, allons nous installer dans le bureau.

Il lui passa un bras autour de la taille et l'entraîna.

— Qu'y a-t-il ?

Elle scrutait son visage, tentait d'y lire la réponse qu'elle cherchait. Elle s'arrêta au milieu du corridor :

— Vous l'avez retrouvée ?

Sans un mot, il la prit par la main pour la faire asseoir sur le canapé du bureau.

— Oui, dit-il alors.

— Comment ?

Elle paraissait elle-même s'attendre au pire.

— En partant de l'idée qu'elle provenait de la haute société de New York, il me suffisait d'y appeler un collègue.

— Un détective privé ?

— Oui. Nous nous rendons souvent de petits services mutuels.

Elle ne respirait plus, suspendue à ses lèvres.

— Je lui ai demandé de consulter les archives du *New York Times* à la page des chroniques mondaines, trois ou quatre mois après votre naissance.

Il prit un ton désinvolte.

— Il n'a pas eu à chercher longtemps. Six mois plus tard, Ruth Drummond se mariait. Un grand mariage. Toute la haute société était présente. Elle a épousé quelqu'un de son milieu, aussi riche qu'elle. Certainement un très bon parti. Ils ont un fils et deux filles.

Livide, Rachel détourna les yeux. Un demi-frère et deux demi-sœurs !

Il lui caressa le visage du dos de la main, s'efforçant de lui parler aussi doucement que possible.

— Voilà. Tom n'a peut-être pas eu beaucoup de chance, mais votre mère a prouvé qu'elle était capable de garder un mari et des enfants.

Elle leva les yeux, le regard lourd de suspicion.

— Mais il y a autre chose, n'est-ce pas ?

Il hocha la tête, résigné.

— Effectivement.

— Dites-le-moi, Jim !

Il s'éclaircit la gorge, cherchant comment annoncer ce que lui-même ne comprenait pas.

— Elle vit avec son mari et ses enfants dans la propriété familiale de Long Island. Ses filles sont âgées d'une vingtaine d'années, son fils en a vingt-sept. Il vient de se marier et habite une aile de la propriété familiale avec sa jeune femme.

Ces précisions rappelaient une autre histoire à Rachel. D'une voix sourde, elle parvint à articuler :

— Quel est le nom de ma mère ?

— Ruth Drummond Landower.

Quand elle ferma les yeux, il la prit par le bras.

— Non, murmura-t-elle, croyez-moi, je vais très bien ! Papa savait tout ça et il n'en a rien dit...

Elle secouait lentement la tête, bouleversée.

— Sans doute, admit-il. Il refuse peut-être de le croire. En tout cas, ces événements ont dû le conforter dans son idée de ne rien vous révéler.

Elle porta un poing à sa bouche, pour étouffer un sanglot.

— Maintenant je comprends sa seconde crise cardiaque ! Mon Dieu ! Mais pourquoi mon... son fils a-t-il voulu faire du mal à mon père ?

— Je ne sais pas. C'est ce qu'il nous reste à découvrir.

Elle se raidit.

— Attendez ! Nous étions d'accord pour que moi seule l'approche. Je prends l'avion ce soir.

— Demain. Votre père ne risque rien où il se trouve. Nous n'allons pas nous annoncer à dix heures du soir. Songez à l'accueil qui nous serait réservé.

— D'accord, demain. Mais j'irai seule.

— Il n'en est pas question. Vous frapperez seule à sa porte si vous y tenez mais, jusque-là, je ne vous lâche pas d'une semelle.

— Vous avez horreur de l'avion !

C'était le dernier argument qu'elle avait pu trouver dans le flot d'émotions contradictoires qui s'était emparé d'elle.

— Avec vous, j'adore ça ! dit-il avec la pire des mauvaises fois.

Finalement, elle était heureuse de partir avec lui. Il avait pris une trop grande place dans sa vie pour qu'elle n'ait pas envie de partager avec lui un événement aussi important. Elle avait besoin de lui. Il restait son unique refuge dans un monde qui semblait s'être effondré autour d'elle.

Elle ne dormit pas de la nuit et, pendant tout le vol, fut rongée par l'angoisse de ce qui l'attendait à New York. C'était sa mère qu'elle allait voir. Sa mère ; une femme qui l'avait abandonnée, qui pourrait lui claquer la porte au nez et nier son existence à nouveau.

Quand l'avion se posa à La Guardia, elle eut envie de faire demi-tour. Ce fut le visage blafard de Jim, son besoin d'air frais qui la décidèrent à se lever.

Ils louèrent une voiture et prirent la direction de Long Island.

— Ça va, ma chérie ?

Il la trouvait étrangement calme, assise très droite sur son siège, une carte de la ville étalée sur ses genoux tandis qu'il conduisait.

— Je me sens un peu fatiguée, c'est tout.

Elle posa la tête sur son épaule.

— Et j'ai peur, ajouta-t-elle après une hésitation.

— Je comprends cela...

Il posa un rapide baiser sur son front.

— Je vous aime. Ne l'oubliez pas.

Elle eut un pâle sourire.

— C'est bien la seule chose que je ne peux oublier. Sans cela je ne tiendrais pas le coup.

— Si. Vous avez un caractère d'acier.
— Pas en ce moment.
— Parce que vous supportez mal l'avion ! plaisanta-t-il.

La circulation leur parut trop fluide, la route trop facile à trouver. Ils arrivèrent bien vite à Long Island, devant la propriété des Landower. Tout s'était passé comme si le trajet n'avait duré qu'une minute.

— C'est étrange, murmura Rachel en tremblant. J'aurais imaginé de hautes grilles et des chiens féroces.

Il eut un sourire indulgent.

— On se croirait presque aux Pins, c'est cela ?

Ce n'était pas cela. La propriété avait des dimensions impressionnantes, une architecture beaucoup plus sophistiquée que la maison de son père.

Jim roula jusque devant le perron de l'entrée et coupa le moteur.

Rachel se taisait. Elle le regarda ; ses yeux noisette paraissaient agrandis par l'anxiété, malgré le soigneux maquillage qui soulignait leurs contours.

Il sourit tristement.

— Voulez-vous que j'entre avec vous ?

Elle secoua la tête.

— Non. Merci.

Il la trouva plus belle que jamais dans son ensemble de soie crème, admirable de courage et d'entêtement. Il se pencha pour l'embrasser sur la joue.

— Allez-y, alors. Je vous attends ici.

Elle poussa un bref soupir.

— Jim ?

Elle avait envie de lui dire combien elle avait peur ; après tout, elle se moquait de cette femme et de ce qu'elle avait pu faire. Mais elle pensa à la sécurité de son père. Ne serait-ce que pour lui, il lui fallait maintenant aller jusqu'au bout.

— Du courage, murmura-t-il comme il voyait son hésitation. Faites-le pour nous...

Il l'embrassa de nouveau et la regarda sortir de la voiture, relever la tête, se passer une main dans les cheveux et marcher d'un pas décidé vers la demeure blanche.

La sonnette faisait entendre une mélodie de cinq notes qu'elle ne chercha pas à identifier. Une domestique vint lui ouvrir ; elle s'annonça et attendit. Un long moment.

Devant elle, le grand hall était vide, silencieux. Elle croyait n'entendre que les battements affolés de son cœur quand un froissement lui fit lever la tête vers l'escalier. De longues jambes dans un jean, des pieds chaussés de sandales. L'une des deux filles ? Puis elle aperçut une main de femme, une alliance et sa poitrine se serra. Peut-être la femme de son demi-frère ? Rachel avait envie de crier pour libérer enfin la pression qui l'étouffait. C'était une main de femme beaucoup plus âgée qu'elle.

Soudain elle comprit qui se tenait dans l'escalier. Portée par un mouvement instinctif, elle fit un pas, puis un autre, afin de voir enfin le visage de cette femme qui l'obsédait depuis des années.

Elles restèrent un instant à se regarder, à se mesurer. Elles savaient l'une et l'autre qui elles étaient ; la ressemblance était trop forte, le visage qu'elles découvraient trop semblable à celui qu'elles voyaient chaque matin dans leur miroir. Rachel en tailleur de ville, Ruth en tenue de peintre, elles avaient plutôt l'air de deux sœurs que d'une mère et de sa fille.

Cette constatation les frappa en même temps. Rachel vit Ruth descendre légèrement les marches qui la séparaient d'elle, avec beaucoup plus de grâce et d'assurance qu'elle n'avait été capable d'en montrer elle-même. Elles s'immobilisèrent face à face.

Puis Rachel entendit pour la première fois la voix de sa mère, une voix douce et traînante, comme elle l'avait imaginée. Pourtant ses paroles la surprirent :

— Vous n'avez rien à faire ici, Rachel.

« Vous n'avez rien à faire ici, Rachel. » C'était bien ce qu'elle avait entendu. Aussitôt, malgré tout ce qu'elle avait enduré, malgré la distance parcourue, elle comprit.

— Je sais, murmura-t-elle.

Oui ! Elle savait ce qu'elle voulait savoir, avait vu ce qu'elle voulait voir. L'expression du visage de Ruth Landower appuyait le sens de ses paroles. Rachel tourna les talons, marcha lentement vers la porte. Ce n'est que la main sur la poignée qu'elle se souvint du plus important. Son père. Richard Landower s'en était pris à lui !

Faisant volte-face, elle s'éclaircit la gorge, et lança, le regard direct, la voix calme :

— Depuis quelques mois, quelqu'un essaie de saboter le projet sur lequel mon père a passé une grande partie de sa vie. Nous avons découvert qu'un de nos employés avait reçu de l'argent de votre fils. Pourriez-vous me donner quelques explications ?

Elle vit se décomposer devant elle la fière expression de Ruth :

— Pardon ?

C'est tout ce que sut murmurer son interlocutrice, incrédule.

Rachel sut immédiatement que sa mère n'était pas au courant.

— Nous avons longtemps cherché ce qu'un dénommé Richard Landower pouvait chercher à la S.C.T. et notre enquête nous a menés ici. Je tiens à vous dire que si ces agissements ne cessent pas sur-le-champ, nous possédons assez de preuves pour vous traîner devant les tribunaux.

Cette fois, elle ouvrit la porte et sortit. Si elle s'était retournée, elle aurait vu des larmes couler sur le visage de sa mère. Mais elle ne se retourna pas. Elle ne le pouvait pas. Sa vie, désormais, était devant elle.

Elle voulait maintenant penser à autre chose mais ses doigts qui couraient sur la flûte jouaient une mélodie qu'elle ne reconnaissait pas.

Pas de larmes, pas de regrets, ni de reproches.

Simplement, elle acceptait que Ruth Drummond, quelles que fussent ses raisons, ait pu abandonner une enfant et son père.

Mais elle avait fini par se marier, avec un autre. Elle en avait eu trois autres enfants. Elle vivait dans une jolie maison avec le même homme depuis vingt-huit ans. Et il fallait reconnaître qu'elle ignorait tout des responsabilités de son fils auprès de Renko et de la S.C.T.

Rachel et Jim n'avaient parlé que de cela, au cours de leur retour en Caroline du Nord. Et la question essentielle demeurait sans réponse : que pouvait avoir Richard Landower contre Tom Busek ? On pouvait seulement imaginer que Richard avait découvert le passé de Ruth. Il pouvait alors devenir naturel qu'un fils cherchât à protéger sa mère contre ce qu'il considérait sans doute comme une menace. Si Ruth était bien avisée, elle l'arrêterait dans ses agissements. Avec la fin des hostilités, tout s'oublierait dans un silence partagé...

C'était maintenant vers l'avenir que Rachel devait sc tourner. Elle ne cessait de se le répéter... La mélodie s'interrompit. Elle ne savait plus quelles notes jouer. Pour tenter de retrouver son inspiration, elle reprit au début, hésita de nouveau, poussa un soupir et s'adossa à la fenêtre, en fermant les yeux.

La voyageuse avait demandé au taxi de s'arrêter devant la propriété sans y pénétrer. Elle préférait continuer à pied malgré sa tenue. Elle ne se rappelait pas qu'il pouvait faire si chaud en Caroline du Nord mais, au fond, elle n'y avait passé qu'un seul été.

La promenade lui fit du bien. Son chapeau à larges bords la protégeait du soleil mais elle préféra garder tout de même ses lunettes noires. Elle trouva que la maison était belle et en fut heureuse, pour lui, pour Rachel...

Ses talons claquaient sur le trottoir, elle ralentit, finit même par s'arrêter et leva la tête, l'oreille tendue.

Rachel était en train de jouer. Toujours aussi bien. Ce n'était pas la première fois qu'elle l'entendait. Elle suivait depuis des années l'évolution de sa carrière, et s'était même rendue une fois à l'un de ses concerts, à New York. Quels n'avaient pas été alors sa fierté... et sa tristesse, ses regrets, tant d'autres sentiments qu'elle préférait oublier pour ne plus souffrir.

Elle n'avait jamais renouvelé l'expérience. Mais elle avait surveillé les allées et venues de l'ensemble Montague, avec une infinie mélancolie chaque fois qu'il se produisait dans la région, dévorant les journaux qui donnaient toujours une critique favorable, soulignant souvent le talent de Rachel.

Elle repéra la fenêtre d'où venait le son de la flûte et l'éclat d'un rayon de soleil qui devait danser sur l'instrument d'argent.

Soudain la mélodie s'interrompit. Elle retint son souffle, attendit que Rachel recommence pour avancer de quelques pas. A nouveau, elle s'arrêta : la musique s'évanouissait définitivement. Même l'éclat métallique avait disparu.

Ruth prit une longue inspiration pour se donner courage et gravit le perron. Elle se sentait oppressée comme lorsqu'elle attendait Rachel. Elle avait eu si peur alors de la colère de ses parents, du chagrin de Tom, de son avenir à elle. Maintenant, c'était de sa propre fille qu'elle avait peur, sa fille qu'elle avait abandonnée et refusée de reconnaître pendant vingt-neuf ans. Elle ne pouvait changer ce qui avait été, mais lui devait au moins quelques explications.

Elle sonna et attendit, tripotant une mèche de ses cheveux qui dépassait de son chapeau. Ils avaient été blonds autrefois... aussi blonds que ceux de Rachel...

Une femme d'un certain âge parut sur le seuil :

— Oui ?

— Je voudrais voir Mlle Busek. Est-elle ici ?

— Oui, je suis là, répondit une voix calme.

Surprise, Mme Francis se tourna pour découvrir une Rachel qui descendait tranquillement les dernières marches de l'escalier. Elle allait pieds nus, les cheveux dénoués.

Elle remercia aimablement la gouvernante et attendit qu'elle disparaisse.

Ensuite, seulement, elle s'avança vers sa mère.

Chapitre 11

Pendant un instant, ni l'une ni l'autre ne purent parler. L'air vibrait sur le seuil, comme agité par le battement inhabituel de deux cœurs affolés. Rachel finit par rompre le silence :

— Excusez-moi. Je ne suis pas... présentable.

Elle portait un vieux jean et une chemise de Jim.

— Mais si, tout à fait.

La voix de Ruth n'était pas plus assurée que celle de sa fille. Elle trouvait pourtant cette dernière bien jolie, bien qu'un peu fatiguée peut-être et même un peu fragile.

— Désirez-vous... entrer ?

— Si vous permettez ?

Ruth aurait pu redouter d'être renvoyée à son tour.

Mais Rachel hocha la tête.

— Bien sûr, murmura-t-elle.

Elle n'avait aucune idée de ce que voulait lui dire sa mère. Bien des questions l'assaillaient, tandis qu'elle la guidait vers le salon.

La décoration en avait été confiée à un spécialiste mais la pièce était assez chaleureuse pour évoquer quinze années de la vie de Tom Busek.

— Asseyez-vous, dit-elle en lui désignant un canapé.

Elle s'installa dans un fauteuil qui lui faisait face, celui où elle avait toujours aimé se lover, celui qui la rassurait. Elle croisa les genoux, les décroisa, glissa ses pieds nus sous elle pour s'apercevoir qu'ils étaient glacés.

Ruth ôta lentement ses lunettes noires et posa les mains, sagement, l'une sur l'autre.

— Il fallait que je vienne. Après cette rencontre d'hier... nous ne pouvions en rester là...

Rachel hocha la tête, complètement repliée sur elle-même, incapable d'articuler un mot.

Mais sa mère avait eu le temps de réfléchir depuis la veille et, sans autre préliminaire, elle se lança :

— J'ai rencontré Tom à Durham où je passais l'été pour suivre un stage de peinture.

A l'évocation de ce souvenir, un sourire lui vint aux lèvres.

— Il n'avait pas encore de situation bien établie, mais on sentait déjà qu'il réaliserait de grandes choses. Il était curieux de tout, brillant, avide d'apprendre... et si beau.

Elle secoua imperceptiblement la tête, comme pour chasser son attendrissement.

— Nous sommes tombés amoureux et vous... tu as été conçue...

Elle avait détourné les yeux.

— Je n'ai su que j'étais enceinte qu'à mon retour de vacances. Quand j'en ai parlé à mes parents, ils l'ont très mal pris. Ils voulaient que je me marie dans mon milieu et non avec Tom, un fils d'immigrés qui ne possédait rien, à part son intelligence et ses ambitions.

Elle releva les yeux sur sa fille.

— C'était ainsi qu'ils le voyaient. J'étais jeune. Je n'ai pas su leur résister. J'avais beau leur assurer que je l'aimais, ils prétendaient que cela ne durerait pas. Leur seul problème était de trouver une solution pour le bébé.

Elle prit une profonde inspiration, comme si elle revivait ses souffrances.

— Tom n'était pas du genre à céder aussi facilement. Le jour où il sut que j'étais enceinte, il se présenta à la maison pour me demander en mariage. Inutile de te décrire l'accueil que lui a réservé ma famille.

— Et vous avez refusé d'épouser mon père ?

— Oui. Et je le regrette encore aujourd'hui.

L'expression incrédule de Rachel la poussa à poursuivre au plus vite :

— J'ai fait ce que je croyais de mon devoir de faire : obéir. Puisque Tom voulait absolument le bébé, mon père m'a fait partir pour une région où personne ne nous connaissait. Dès que tu es née, je t'ai immédiatement remise à Tom. C'était cela ou l'abandon pur et simple. Il devait également promettre de ne jamais chercher à me revoir.

Sa voix se brisa.

— Il s'y est tenu.

Rachel ne disait toujours rien, pétrifiée. De toutes ces tristes révélations, elle ne retenait qu'un point, lumineux, une merveilleuse consolation : elle était une enfant de l'amour.

— Vous avez dit, tout à l'heure, que vous regrettiez de n'avoir pas épousé mon père. En quel sens ?

Les yeux de Ruth se mirent à briller d'un éclair de confiance.

— Dans tous les sens, j'aimais Tom. Je voulais t'avoir. Mais le rejet de ma famille me terrifiait. Alors j'ai obéi, écrasée. Je l'ai toujours été...

Elle regardait dans le vague ; sa voix se fit soudain très douce :

— Tom a été mon premier amour. Mon seul amour.

— Mais votre mari...

Les yeux revinrent sur elle. Rachel vit qu'ils étaient plus clairs que les siens.

— Mon mari m'a épousée pour les mêmes raisons que moi. A priori, nous étions parfaitement assortis. Nos deux familles étaient de même rang. Il était mon aîné de quatre ans, me dominait d'une tête et pesait quinze kilos de plus que moi. Il voulait une maison à Long Island, une autre dans les Caraïbes. Je voulais une rivière de diamants et une femme de chambre. Nous paraissions faits l'un pour l'autre.

— Ne l'étiez-vous pas ?

Ruth secoua très lentement la tête :

— Nous ne nous sommes jamais aimés.

— Mais vous êtes restés ensemble...

— Nous ne sommes pas heureux. Crois-moi. Nous avons de l'affection l'un pour l'autre. Nos vies concordent. Matériellement, nous avons ce que nous voulions...

Elle fronça les sourcils, hésita un instant.

— L'amour, par contre, ne s'achète pas... Edgar et moi ne nous sommes jamais aimés.

Elle soupira, paraissant soudain plus âgée.

— Quelque part en moi, je meurs chaque jour par manque d'amour.

— Mais vos enfants...

— L'affection que l'on porte à un enfant est une chose importante. Précieuse. Mais ce n'est pas l'essence de la vie.

Ses yeux s'embuèrent.

— Je voudrais simplement que tu saches que j'ai toujours aimé Tom. Qu'il m'a toujours manqué.

— Et votre famille, vos enfants le savaient.

— Non, je ne leur ai jamais rien dit. Mais je me suis montrée imprudente il y a six mois. Je tiens un journal que j'ai toujours avec moi ou que j'enferme dans mon atelier. Un jour, j'ai dû oublier de le ranger et j'ai envoyé Richard chercher de la peinture que je voulais emporter en voyage. Il a lu ce carnet et tous les autres qu'il a trouvés sans peine. Je ne l'ai jamais su jusqu'à hier soir où je l'ai interrogé sur ce que tu m'avais dit.

— Vous l'avez interrogé ?

— Oui. Malgré son âge, je le surveille encore de près parce qu'il est très impulsif. Il n'a d'ailleurs pas nié. Après ce qu'il a lu dans mon journal, il s'est senti trahi et cherchait dès lors à discréditer Tom par tous les moyens. Par exemple en retardant ce projet d'irrigation dont on parlait tant.

Elle marqua une pause.

— Je tiens à m'excuser en son nom. Tu pourrais effectivement le poursuivre devant les tribunaux, mais...

— Je ne ferai jamais ça !

— Pourquoi ?

Rachel parla du fond de son cœur.

— D'abord, parce que j'espère que c'est fini.

Sa mère hocha la tête en souriant :

— Il était très vexé de se savoir découvert.

— D'autre part, poursuivit Rachel, je ne veux plus que mon malheureux père entende parler de cette histoire. Je veux qu'il se repose et puis se remette au travail, tranquillement. Enfin, sachez que jamais je ne poursuivrai mon demi-frère en justice !

Ruth baissa la tête.

— Il ignore votre lien de parenté.

— Vous ne le lui avez pas dit ?

— Il sait que j'ai aimé Tom, parce que j'en parlais dans mon journal ; mais je n'ai mentionné ton existence que dans mon premier cahier... que mes parents ont détruit à mon mariage.

Rachel baissa la tête, préférant taire les réflexions que lui inspiraient ses... grands-parents.

— Et votre mari ?

— Lui non plus ne te connaît pas. Et je ne peux rien lui dire maintenant. J'aimerais en avoir le courage, Rachel. Mais je crains de n'être pas beaucoup plus brave aujourd'hui qu'à l'époque de ta naissance.

— Vous êtes venue ici.

— Oui. En secret. Parce que j'estimais que tu avais le droit de savoir l'amour qui nous unissait, ton père et moi... et je savais qu'il n'était pas là ; j'ai lu des articles sur sa maladie.

Elle se leva, traversa le hall. Elle avait la main sur la poignée de la porte quand enfin Rachel réagit et se précipita vers elle, la prit dans ses bras.

— Attendez ! Ne partez pas.

Ruth en avait les larmes aux yeux.

— Il le faut. Mon taxi attend. Je dois être rentrée à New York ce soir.

La jeune femme se serra contre elle, sentant enfin avec délices son discret parfum de femme du monde.

— Vous reverrai-je... un jour ?

— Je ne sais pas. Peut-être, si tu viens jouer, cet automne.

— Je viendrai, promit-elle. Et ce sera pour vous. Nous nous rencontrerons en ville.

Sa mère sourit à travers ses larmes.

— Ce sera notre secret.

Une heure plus tard, vêtue d'une robe bain de soleil rose et de sandales à hauts talons, Rachel se présentait à l'agence James P. Guthrie et Associés. Wayne, qui relisait un dossier dans l'entrée, leva vers elle un visage surpris. D'un geste de la main, elle lui fit signe de ne pas bouger et jeta un regard étonné vers le bureau principal d'où montaient des invectives plus que salées. Elle ouvrit en grand la porte au moment où Jim raccrochait son téléphone d'un geste rageur.

— Eh bien ! s'exclama-t-elle, je ne vous connaissais pas ces talents.

Il se leva en souriant.

— C'est parfois le seul moyen de se faire entendre, ma chérie !

— Gardez-vous de jamais l'utiliser avec moi !

— Rassurez-vous, il est à l'usage exclusif des gens de mauvaise foi !

— C'est bien, Jimbo.

— Comment connaissez-vous ce surnom ?

— Par mon père.

Il secoua la tête.

— Comment veut-il que je me fasse respecter, après cela ?

Il la prit par l'épaule, repoussa la porte derrière eux. Alors, il la souleva du sol pour l'embrasser.

— Quel bon vent vous amène ? demanda-t-il ensuite.

— Il fallait que je vous voie.

Il sourit.

— Pour affaires ?

— Non. Et si vous vous réfugiez derrière votre bureau, je crie !

Il la serra contre lui.

— Bien, maintenant dites-moi quel bon vent vous amène.

Elle lui entoura le cou de ses bras, caressa les cheveux qui atteignaient sa nuque.

— Je viens vous dire que je vous aime...
— Est-ce une si grande nouvelle ?
— ... et vous demander de m'épouser.
Il tressaillit.
— Comment dois-je le prendre ?
— Comme ça.
Elle l'embrassa.
— Etes-vous sérieuse ? reprit-il en se détachant.
— Oui.
Les yeux d'ambre ne riaient soudain plus du tout.
— Quand ?
— Aujourd'hui ? Demain ? Dès que les formalités d'usage seront remplies.
Elle paraissait parfaitement calme et décidée. Il la contemplait, incrédule.
— Vous ne plaisantez pas ?
— Bien sûr que non ! Ce n'est pas tous les jours qu'une femme demande un homme en mariage !
— Seigneur, Rachel ! Il y a des semaines que j'ai pris les devants !
Il commençait toutefois à comprendre la raison de ce retournement.
— Est-ce à cause d'hier ?
— En partie... et aussi à cause d'aujourd'hui.
— Expliquez-vous !
Rachel rayonnait littéralement.
— J'ai reçu une visite, tout à l'heure.
— De qui ?
— D'elle.

L'expression abasourdie de Jim témoignait de son incrédulité.

— Votre mère ?

— Oui.

— Elle est venue de New York jusqu'ici pour vous voir ?

— Oui. Elle voulait me parler de papa et de moi. Vous savez, ils se sont aimés...

Elle lui répéta les paroles de Ruth Landower. Quand elle termina, ses yeux étaient baignés de larmes.

— Elle est gentille, Jim. Je ne sais pas ce que j'aurais fait à sa place. Mais je la respecte. Elle a terriblement souffert.

— Votre père sera heureux d'apprendre...

Elle posa sa main sur son bras.

— Non, il vaut mieux ne rien lui dire. De toute façon, ils ne pourraient se voir et ce serait encore plus terrible pour lui que cette tristesse un peu paisible à laquelle il s'est habitué.

— Mais que lui dire au sujet de Richard Landower et de Renko ?

— Que... Landower s'est engagé à cesser ses agissements quand vous l'avez menacé de tout révéler à la presse. L'important est que papa ne nous sache pas au courant de son passé.

Consentant, il lui caressa les cheveux.

— J'ai dit à ma mère que je la reverrais cet automne. Et je compte bien vous présenter alors... comme mon mari...

— Lui avez-vous parlé de moi ?

— Pas encore, je voulais connaître votre réponse.

Elle sourit.

— J'attendrai le temps qu'il faudra, mais je vous jure que je ne vous laisserai pas m'échapper.

Elle s'amusait à répéter à peu près les paroles qu'il lui avait tant de fois dites, mais lui ne riait pas, paraissant, au contraire, étrangement sérieux.

— Vous pensez que vous serez une bonne épouse... et une bonne mère ?

Elle se mordit la lèvre.

— Oui.

— Pourquoi, Rachel ? Pourquoi cette soudaine confiance en vous ?

— Parce que je vous aime, cria-t-elle au bord des larmes. Et parce que je sais, maintenant, combien le véritable amour est important pour réussir sa vie. Je veux vous épouser pour que nous passions ensemble le reste de notre vie. Je veux avoir des enfants de vous : ils seront le fruit de notre amour.

De nouveau, une larme coula sur sa joue, puis une autre.

— Je ne veux pas qu'il m'arrive ce qui est arrivé à mes pauvres parents. Ce sont peut-être les regrets de ma mère qui m'ont fait toucher du doigt à quel point le bonheur pouvait être fragile.

Elle lui caressa les cheveux qui lui tombaient sur les tempes.

— Rien ne doit détruire ce que nous avons. Nous devons réussir !

La voix brisée, elle s'effondra en pleurs dans ses bras.

— Nous réussirons, ma chérie, je vous le promets.

— Alors... vous acceptez... de m'épouser ? murmura-t-elle.

Il lui haussa le menton, embrassa ses larmes.

— Naturellement ! Mon bonheur non plus n'est pas ailleurs. Je le sais depuis longtemps, moi. Mais, et votre carrière ?

Elle lui adressa un clin d'œil :

— Je vais suivre les conseils d'un ami : trouver un engagement dans un orchestre de la région et pouvoir ainsi rentrer tous les soirs à la maison... ou presque...

— Presque ?

— A part quelques concerts à New York...

Il la serra dans ses bras.

— Alors j'irai avec vous.

— Vous prendriez l'avion pour m'entendre ?

Il recula pour la regarder, intensément, comme s'il tenait un trésor entre ses mains.

— Vous savez bien que j'affronterais n'importe quel danger pour rester avec vous.

— Vous êtes merveilleux !

— Vous aussi.

Il l'embrassa et elle vit dans ce baiser la promesse d'années de bonheur, d'enfants à venir.

— C'est une variation sur un thème, murmura-t-il quand il put enfin reprendre sa respiration.

— Pardon ?

Elle souriait sans comprendre.

— J'ai dit, répéta-t-il doucement, que c'était une variation sur un thème.

— Ce qui veut dire ?

— Que notre amour raconte l'histoire de deux personnes qui s'aimaient autrefois... mais différemment. Tout semble nouveau sans que rien ait vraiment changé.

Comme le sourire de Rachel s'élargissait, il poursuivit :

— Vous voyez, nous jouons de la musique sans le faire exprès.

Elle l'écoutait, le cœur bondissant de joie. Elle avait toujours aimé les variations sur un thème, surtout quand elles touchaient à la perfection.

Harmonie n° 69

ALEXANDRA SELLERS
Lune de miel tropicale

Double jeu

Deux mois ont passé depuis la
disparition de Leo Charteris, l'homme
dont Laura Sweet, la ravissante présentatrice
de télévision, était follement éprise.

Le chagrin de la jeune femme ne s'est pas estompé
et, sans l'amitié de Barney MacNab,
le directeur de la chaîne, où aurait-elle trouvé
la force de continuer?

Cependant, les rumeurs les plus sombres
circulent au sujet de ce dernier. A-t-il réellement
envoyé Leo Charteris à la mort?

Sous les feux du soleil tropical où Barney
l'a entraînée, Laura exige des aveux.

Mais peut-on croire à la vérité quand on est
aveuglé par le désespoir?

Duo Série Harmonie

Harmonie n° 70

LISA JACKSON

Plus fort que le doute

Au vent de la victoire

– Je vous en prie, oublions tout...

La prière que Rebecca Peters adresse à Mike Chambers résonne dans la nuit comme le vœu le plus fou.

Qu'ont-ils à partager, sinon des souvenirs amers?

Comment pourraient-ils oublier l'incident dramatique qui les a opposés, six ans plus tôt?

Et cette lourde accusation que Mike porte encore à l'encontre de Rebecca...

En fait, l'un et l'autre ignorent qu'ils ont été victimes d'un complot diabolique...

Le jour où la lumière jaillira, comme le soleil après la tempête, sera-t-il trop tard pour leurs cœurs meurtris?

Harmonie n° 72

PARRIS AFTON BONDS
Une passion mexicaine

Prise au piège

Le jour où, sa trousse médicale à la main, Mary Margulies fait son apparition à Kingdom Come, petite ville texane en bordure de la frontière mexicaine, un vent d'hostilité se lève.

Mary devient la *soltera*, la célibataire, égarée sur une terre aride où, depuis toujours, l'on s'en remet aux philtres et aux incantations magiques.

Seul, Julian Anaya cherche à aider la jeune femme dont la grâce le fascine.

Mais Julian, bel homme, grand propriétaire terrien, est aussi un don Juan qui suscite chez elle toute la méfiance du monde...

Ce mois-ci

Duo Série Coup de foudre

13 **L'homme aux yeux noirs** JEANETTE ERNEST
14 **Soudain, la passion** DIANA MORGAN
15 **La prairie de nos amours** NINA COOMBS
16 **Comme le chant des sirènes** LAUREL CHANDLER

Duo Série Romance

265 **Dangereuse tendresse** LYNNETTE MORLAND
Au cœur de l'ouragan GINNA GRAY
267 **Un mariage de déraison** OLIVIA FERRELL
Le bonheur dans tes bras ANNETTE BROADRICK

Duo Série Désir

133 **Les brumes du Saint-Laurent** ELAINE RACO CHASE
134 **Un bouquet de diamants** DIANA PALMER
135 **Jeux de masques** SARA FITZGERALD
136 **Amour, envoûte-moi** STEPHANIE JAMES

Duo Série Amour

41 **Un amour si doux** LIZ EWING
42 **Fleur de tendresse** JANE IRELAND

Achevé d'imprimer sur les presses de l'Imprimerie Bussière
à Saint-Amand-Montrond (Cher)
le 11 juillet 1985. ISBN : 2-277-83071-2. ISSN : 0763-5915
N° 921. Dépôt légal : juillet 1985. Imprimé en France

Collections Duo
27, rue Cassette 75006 Paris
diffusion France et étranger : Flammarion